LA COLLECTION TRAITEMENT NATUREL

De plus en plus de gens dans le monde sont victimes de maladies que la médecine moderne, malgré son développement technique, semble souvent incapable de prévenir. Parmi eux, plusieurs dorénavant se tournent vers la médecine «naturelle» en quête de réponses. La collection *Traitement naturel* a pour but d'offrir un guide clair, pratique et fiable pour les traitements disponibles les plus sûrs, les plus doux et les plus efficaces, de façon à ce que ceux qui souffrent et leurs familles reçoivent l'information nécessaire leur permettant de faire leur propre choix à propos des traitements les plus appropriés.

D0243444

Candidose
(Candida albicans)

Publié initialement en anglais par ELEMENT BOOKS,
sous le titre *The Natural Way: Candida*

Version française publiée chez:
Les Éditions Modus Vivendi
C.P. 213, Dépôt Sainte-Dorothée
Laval (Québec) Canada
H7X 2T4

Traduit de l'anglais par: Michelle Bachand
Design et illustration de la couverture: Marc Alain
Infographie: Marise Pichette

Dépôt légal, 1er trimestre 1999
Bibliothèque nationale du Québec
Bibliothèque nationale du Canada
Bibliothèque nationale de Paris

ISBN: 2-921556-70-7

COLLECTION TRAITEMENT NATUREL

Candidose
(Candida albicans)

Simon Martin

Consultants médicaux de la collection
Dr Peter Albright, m.d. et Dr David Peters, m.d.

Approuvé par
l'AMERICAN HOLISTIC MEDICAL ASSOCIATION
et la BRITISH HOLISTIC MEDICAL ASSOCIATION

MODUS VIVENDI

Table des matières

Liste des illustrations

Aux naturopathes Leon Chaitow et John Stirling
en remerciement de leur inspiration
et de leur dévouement.

Remerciements

Mes remerciements chaleureux vont à Leon Chaitow, ND, pour avoir fait la lumière sur l'histoire du candida au Royaume-Uni. Je partage son appréciation des pionniers de la recherche en ce domaine, les docteurs C. Orian Truss et William G. Crook. Je tiens aussi à souligner le travail de John Stirling, Jane McWhirter et Gill Jacobs au Royaume-Uni. Je désire également remercier: Richard Thomas qui m'a suggéré d'écrire ce livre; Grace Cheetham, de la maison Element, pour m'avoir permis de matérialiser mes idées sur le papier; les consultants de la collection, les docteurs David Peters et Peter Albright, pour leurs précieux conseils; ainsi que le Dr Peter J. D'Adamo pour ma diète riche en énergie.

Introduction

Le candida, une levure se produisant naturellement, représente un problème uniquement lorsque sa
croissance devient hors de contrôle. Il y a plus de 80
souches de candida, le *candida albicans* étant la plus
commune. La majorité des gens le connaissent sous le
nom de «muguet», une infection à levure des organes
génitaux; en fait, il est un habitant normal de la
bouche, du système intestinal, de la peau et du vagin.

La présence de candida dans l'organisme est
habituellement contrôlée et équilibrée, la levure
étant maintenue en place par une masse de bactéries
qui vivent en nous et l'empêchent de nous envahir.
Notre système immunitaire, dont font partie techniquement ces bactéries amies, veille aussi au grain.
Toutefois, lorsque des circonstances propices se
présentent, plus particulièrement après un traitement
aux antibiotiques ou pendant une diète riche en
sucre, le candida peut se développer et se répandre.

Nous sommes alors en présence du premier problème relatif au candida. En effet, les médecins ne
sont pas d'accord sur l'étendue possible de sa propa-

gation. L'opinion générale prétend qu'il se retrouve normalement dans le vagin, la peau, la bouche ou le système respiratoire, mais qu'il est extrêmement rare qu'il puisse se propager dans tout le corps. On sait qu'il peut se répandre, mais plusieurs professionnels associent cette surcroissance systémique à des situations extrêmes comme le sida (où on a estimé que 80 pour cent des patients ont des infections graves au candida) ou chez les cancéreux recevant des traitements de chimiothérapie. Dans de tels cas, le résultat peut être fatal.

À contrario, d'autres médecins et chercheurs pensent que la surcroissance systémique du candida — soit la candidose — est beaucoup plus commune qu'on ne le croit généralement. L'affection n'est pas fatale et sûrement pas aussi grave que le sida, mais elle signifie que le système immunitaire du malade n'est pas assez résistant: c'est un avertissement impliquant que le problème est plus sérieux qu'un simple muguet. C'est le point de vue que partagent plusieurs praticiens en santé naturelle, particulièrement les thérapeutes en nutrition et les naturopathes.

Ces praticiens croient que le candida, comme plusieurs autres micro-organismes, est un parasite dynamique et opportuniste qui a élaboré des stratégies pour survivre dans et sur le corps humain; en d'autres termes, un parasite souvent capable de déjouer nos mécanismes de défense internes. Même les bactéries amies de notre intestin peuvent s'avérer incapables de rétablir l'équilibre qui empêche la propagation du candida.

Cette vision tient compte du fait que la forme fongique du candida lui permet d'élaborer, sur les parois de l'intestin, des structures semblables à des racines. Il peut alors permettre à des particules d'aliments partiellement digérés, à des déchets et aux toxines naturelles, de pénétrer le système sanguin, ce qui provoque des réactions physiologiques et affecte le système immunitaire. Plusieurs praticiens y voient une cause importante des allergies alimentaires et des intolérances.

Il ne s'agit pas de l'infection bénigne et localisée que la majorité des gens connaissent, mais d'une surcroissance qui peut avoir des effets dramatiques et à long terme sur la santé. Les problèmes ne sont pas limités au système digestif, où le candida peut causer des ballonnements et de l'indigestion; ils peuvent surgir n'importe où dans le corps et causer des douleurs musculaires, des problèmes de respiration ou des migraines, voire même affecter l'esprit, l'humeur et les émotions, en entraînant la dépression, des problèmes de concentration ou des pertes de mémoire. Il peut provoquer des réactions de type allergique semblables aux symptômes de la fièvre des foins ou des malaises comme la fatigue chronique et la douleur musculaire.

Certains experts sur le sujet blâment les antibiotiques pour la prolifération du candida. Ainsi, selon le Dr William Crook, auteur de l'ouvrage *The Yeast Connection*, plusieurs facteurs différents peuvent contribuer à rendre une personne malade, mais des doses répétées d'antibiotiques à large spectre sont très souvent les principales responsables de l'affection. Ces antibiotiques causent des surcroissances de levures dans le système intestinal ainsi que des infections vaginales à la levure. Ces infections, telles qu'un torrent descendant la montagne, déclenchent des perturbations qui font que le patient se sent malade dans tout son corps.

Dans la description de la candidose du Dr Crook, il y a peu de mystère, seulement une séquence logique de causes à effets: usage d'antibiotiques, balayage des bactéries amies, surcroissance du candida, production de toxines affaiblissant le système immunitaire, possibilité d'attraper une autre infection, recours à nouveau aux antibiotiques...et le cercle vicieux est créé. Le scénario complet des antibiotiques à la surcroissance du candida mène à:

- un système immunitaire affaibli
- des déficiences nutritionnelles
- des allergies alimentaires
- un dérèglement des systèmes digestif, nerveux, endocrinien (les glandes) et respiratoire, accompagné de l'activation de virus et de parasites qui étaient tenus à distance par un corps bien nourri...

Une masse de symptômes apparemment non reliés apparaissent ensuite, dont:

- mal de tête
- dépression
- basse température corporelle
- infertilité
- dysfonction sexuelle
- problèmes prémenstruels
- dérangements nutritionnels accrus
- fatigue chronique
- mémoire déficiente
- anxiété
- problèmes de sommeil
- fringales de sucre

- déficiences en acides gras
- déficiences en vitamines et minéraux
- douleurs musculaires

Comme nous allons le voir, la médecine traditionnelle croit difficilement que le candida est à l'origine de tous ces différents symptômes. Plusieurs médecins pensent que c'est un concept vague et fourre-tout, utilisé par des praticiens qui ne réussissent pas à identifier la maladie affectant leur patient. Ces médecins ne font pas confiance à un tel diagnostic, prétendant qu'il a été souvent posé sans que des tests de laboratoire objectifs aient confirmé l'affection, soulignant qu'il peut amener un patient vulnérable à s'impliquer dans un traitement complexe et onéreux, pouvant durer des mois. Les praticiens en santé naturelle répondent qu'il existe un test de laboratoire valable pour vérifier la surcroissance du candida qui, lorsqu'appuyé par des examens sur des états reliés, comme le syndrome de l'intestin qui coule et la participation de la glande médullo-surrénale, peut donner un tableau sûr et objectif de ce qui se passe. Il est vrai, par contre, que plusieurs praticiens ne réalisent pas ces tests avant de poser un diagnostic.

Les opinions diffèrent également sur la meilleure façon de traiter le candida. La médecine conventionnelle a de puissants médicaments antifongiques dans son arsenal. Cependant, plusieurs thérapeutes croient qu'ils sont peu efficaces contre les formes fongiques bien installées du candida et parce qu'ils n'enrayent pas complètement la maladie, leur emploi encouragerait le développement de souches résistantes à la médication.

Il n'est donc pas toujours facile de traiter la surcroissance systémique du candida. Cependant, depuis le début des années 80, un protocole de base anti-candida a été essayé, testé et raffiné. Il est continuellement revu à la lumière des nouvelles recherches et au fur et à mesure que des compagnies dans le domaine de la santé naturelle développent de nouveaux antifongiques et d'autres suppléments nutritionnels ou à base de plantes.

La recherche universitaire est avancée en ce qui concerne le traitement du candida. Elle est alimentée par la rétroaction des gens qui ont réussi à rétablir l'équilibre écologique interne nécessaire pour éliminer les causes du problème. Mais si vous croyez souffrir d'une surcroissance du candida, vous devez être conscient que personne n'a encore toutes les réponses. Il existe plusieurs approches ou traitements différents et la guérison n'est pas garantie.

Si vous croyez à l'auto-diagnostic et à l'auto-traitement, exigez d'abord qu'une évaluation objective soit posée par un praticien expérimenté ou par un groupe d'aide. Cela pourrait vous épargner beaucoup de temps et d'argent.

L'objectif de ce livre est de vous donner un bon point de départ pour apprendre à rééquilibrer le candida. Il suggère quand avoir recours à la médecine traditionnelle et quand se tourner vers les thérapies complémentaires ou alternatives. Ce livre ne prétend pas être exhaustif sur le sujet, alors sachez utiliser les ressources que vous aurez vous-même trouvées ainsi que les adresses utiles à la fin de cet ouvrage.

CHAPITRE 1

Qu'est-ce que la candidose?

Le *candida albicans* est un ami de longue date. Il est un des 80 types différents de candida, que l'on retrouve chez la plupart des gens depuis leur naissance. Si nous ne l'héritons pas de notre mère à la naissance, il nous rattrapera bien vite par l'intermédiaire des personnes ayant participé à l'accouchement ou de nos fiers parents qui nous touchent et nous embrassent.

Le candida est dimorphe, c'est-à-dire qu'il possède deux formes. C'est une levure qui a aussi une forme fongique. Normalement, il ne nous cause pas beaucoup de problèmes. La majorité des gens en santé et sans symptôme en sont porteurs, que ce soit sur leurs mains, dans leurs cheveux ou dans leur bouche. Même s'il peut se trouver sur la peau et dans les cheveux, les endroits chauds, humides et sombres, comme l'intestin, le vagin, la bouche et les muqueuses des conduits reliant le nez aux poumons, sont ses lieux de prédilection. Même là, il est habituellement retenu par les milliards de bonnes bactéries qui luttent pour occuper la place, survivre et se nourrir. Si notre système immunitaire est sain, nous prenons automatiquement le dessus par l'action des cellules blanches du sang aptes à détruire le candida.

Dans la pratique médicale quotidienne, la surcroissance du candida est appelée candidose ou muguet, parfois aussi moniliase, d'après le nom originel de ce type de fongus. Les médecins font habituellement un diagnostic préliminaire à l'apparition de taches blanches caractéristiques sur la langue ou les organes génitaux, accompagnées d'un écoulement ressemblant un peu à du fromage mou. Il peut parfois s'attaquer à l'enveloppe du coeur et constituer un facteur d'une affection appelée endocardite.

Bien que le candida, en tant que levure commune, est littéralement partout, dans l'air, le sol et les aliments, aussi bien que sur tous ceux qui nous entourent, en termes médicaux, la candidose est considérée comme résultant d'une infection. Il est exact que le muguet peut être transmis sexuellement, atteignant ainsi des parties qu'il ne devrait pas atteindre; mais il se peut fort bien que l'individu s'infecte lui-même en se grattant ou en se frottant les oreilles ou le nez, transférant ainsi le candida d'une région à l'autre de son corps.

La recherche et l'expérience clinique ont prouvé que le muguet est un problème purement local, confiné à la bouche ou aux organes génitaux, et qu'un traitement court et simple, avec un médicament antifongique prescrit, a souvent raison de l'infection; toutefois, cette image traditionnelle du candida est en train de changer. De plus en plus de gens se rendent compte que leur infection ne s'en va pas si facilement; ils se demandent si leur état de santé général n'est pas en cause. S'ils ont des problèmes digestifs, d'allergies, de gonflement abdominal ou s'ils sont toujours fatigués, ils peuvent penser souffrir non seulement d'une attaque rapide de muguet mais d'une surcroissance continuelle et à long terme du candida, lequel se répand partout.

La majorité des médecins ne sont pas d'accord avec ces conclusions puisqu'ils ont appris que ce niveau systémique d'infection est rare et que lorsqu'il se manifeste, le problème est aigu et possiblement fatal. De fait, ils peuvent avoir observé, durant leur formation à l'hôpital, des personnes souffrant de candida à un degré élevé.

Cette conception de l'infection peut être une autre raison pour laquelle la plupart des médecins hésitent à endosser l'idée d'une surcroissance systémique du candida. La conviction que la plupart des maladies sont causées par des germes ou des micro-organismes envahisseurs qui peuvent nous terrasser à moins que nous ne soyons adéquatement défendus par des médicaments, des vaccins ou autres traitements, laisse peu de place à la notion de maladie qui peut aussi provenir de l'intérieur de la personne. Mais, après tout, en donnant aux levures et fongus les conditions propices à leur croissance, ils ne feront que ça, se propager. «Les mouches ne sont pas la cause des déchets» est un vieil adage en naturopathie. En d'autres mots, vous pouvez créer des conditions idéales au développement de maladies par les choix que vous faites dans votre alimentation et votre style de vie. Si vous traitez votre corps comme un réceptacle à déchets, sans jamais le vider ni lui accorder des périodes libres de stress, c'est-à-dire des moments où vous mangez et buvez sainement, vous n'avez pas à vous surprendre si les «mouches» sont attirées, commencent à se multiplier et à répandre la maladie. Il ne sert pas à grand chose d'attaquer les mouches, c'est-à-dire les bactéries, les virus ou les fongus que vous avez invités à entrer, et de les blâmer d'avoir installé le réceptacle à déchets qui est à l'origine de votre mauvais état de santé. Dans cette perspective, l'accent doit être mis sur les conditions qui prévalent dans votre corps. Si elles sont favorables au candida il commencera à se développer. Si elles lui sont défavorables, même s'il nous a infectés, il ne se développera pas. L'avantage de voir les choses sous cet angle est que nous avons un pouvoir: celui de profiter de l'occasion pour agir positivement afin de changer les choses pour le mieux.

Devant des signes évidents de candida dans la bouche ou le vagin, la question à se poser est d'où cela vient-il? Est-ce que cela a été attrapé de l'extérieur comme n'importe quelle autre infection (ce qui est possible) ou est-ce actif de l'intérieur? Est-ce seulement un évier sale qui a besoin d'un rapide lavage à l'eau de javel ou devez-vous traiter le tuyau? Les différents systèmes médicaux apportent des réponses différentes à ces questions. Cependant, il vaut la peine d'observer les conclusions des chercheurs de la Michigan State University à propos d'une étude sur des femmes affligées d'attaques répétées de candidose vaginale (muguet). Ils remarquèrent que chaque femme atteinte d'une infection vaginale à levure avait un réservoir intestinal de levures en surcroissance dans son système digestif. Certains croient que la profession médicale, en général, ne veut pas reconnaître le problème de la surcroissance chronique du candida parce qu'il semble être directement causé par les traitements médicaux conventionnels aux antibiotiques et aux corticostéroïdes, ou par le recours à la pilule contraceptive. La candidose est d'ailleurs plus fréquente chez les femmes que chez les hommes parce que les changements hormonaux, durant le cycle menstruel et la grossesse, affectent l'équilibre des bactéries dans l'intestin. De plus, ce sont elles qui utilisent la pilule contraceptive et elles reçoivent plus de traitements médicaux et d'antibiotiques au cours de leur vie. Chez les hommes infectés du VIH, le virus associé au sida, certains symptômes de la candidose comme la fatigue chronique et des accès de fièvre répétés peuvent être faussement attribués au VIH.

Mais ce sont surtout la grande consommation d'antibiotiques et les diètes riches en sucre qui permettent au candida de trouver un terrain idéal à son développement. Les antibiotiques affaiblissent le système immunitaire, lequel est aussi affecté par les autres médicaments et par l'augmentation des aliments pauvres en valeur nutritive, comme l'alcool, la caféine et le sucre, omniprésents dans notre vie moderne. Ajoutez à cela un système immunitaire qui ne fonctionne pas très bien ou qui est temporairement atteint, et il est facile de voir pourquoi les chercheurs croient que le candida n'a jamais eu de meilleures conditions pour se développer. À leurs yeux, le résultat est une explosion de candida, un phénomène non plublicisé que l'on appelle indifféremment candidose chronique, syndrome de la levure, syndrome du candida chronique ou complexe *candida albicans*.

Ce genre de surcroissance systémique est appelée infection du système sanguin par les chercheurs du multicentre *Candida Adherence Mycology Research Unit*. Ils rapportent qu'elle a augmenté de 219 à 487 pour cent entre 1980 et 1989. Aux États-Unis, ces fongus de type levure comptent maintenant pour 10 pour cent de toutes les infections que les patients attrapent dans les hôpitaux. Ce niveau d'infection égale maintenant celui d'un des plus communs et possiblement fatal micro-organisme, le *E coli*, et dépasse les cas de *Klebsiella*, une bactérie qui peut causer la pneumonie et les infections respiratoires. Le candida est la quatrième cause majeure des infections attrapées dans les hôpitaux. Selon le Dr Jim Cutler, «le *candida albicans* est devenu le pathogène fongique opportuniste le plus important chez les humains.» Malgré son importance, dit-il, on comprend mal comment le *candida albicans* interagit avec ses hôtes humains. La recherche du Dr Cutler vise à comprendre comment se répand la forme fongique du candida. Il étudie l'hypothèse selon laquelle le candida ne s'attacherait pas nécessairement à tous les tissus, mais pourrait être dépendant de la présence de molécules spécifiques dans nos cellules qui lui permettraient de laisser des adhérences collantes pour s'y attacher. Ce travail compte parmi plusieurs études subventionnées par le gouvernement américain dans le but d'arrêter la prolifération de cette affection. Mais malgré plus de 20 ans de recherches accomplies, les scientifiques ne s'entendent toujours pas sur une théorie générale quant à la façon dont le candida s'y prend pour coloniser si rapidement et si efficacement, lorsque les conditions sont propices. Ils savent que lorsque le candida colonise les cellules de la peau, il s'attache d'abord comme de la colle aux cellules visées. À ce stade, il est encore à l'état de levure et peut causer des infections relativement simples, localisées sur la peau, dans la gorge, la vessie ou le vagin, par

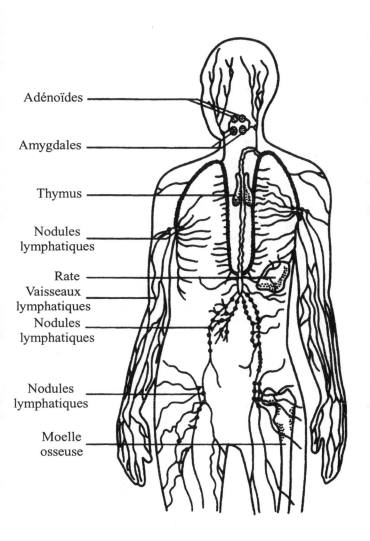

Fig. 1 Le système immunitaire

exemple, et faciles à traiter. L'habileté à s'attacher aux cellules est un facteur clé de la façon dont il se répand sur la peau. Ils espèrent découvrir comment mobiliser la résistance de l'hôte, de façon à bloquer ce mécanisme d'adhérence, laissant le candida vulnérable aux antifongiques. Ils croient que cette qualité de s'attacher comme de la colle est importante pour que le candida puisse entrer dans le système sanguin et s'élancer vers les organes à coloniser.

Une des difficultés dans le traitement du candida est son habileté à passer de levure à fongus. Un des facteurs qui lui permet de traverser les barrières comme les membranes et les muqueuses, conçues spécialement pour retenir les micro-organismes, est sa capacité de s'attacher aux cellules lorsqu'il est un fongus et de faire des fils semblables à des racines qui se servent de leurs propres enzymes pour dissoudre les protéines qui retiennent les cellules ensemble. Ces racines peuvent alors envahir les cellules à la recherche de nutriments et creuser entre elles des espaces à l'intérieur desquels le candida peut se reproduire ou se cacher si les cellules défensives du système immunitaire sont en chasse.

Lorsque la forme fongique profondément enracinée du candida est établie, il peut être extrêmement difficile de l'anéantir. Comme nous le verrons, il semble que plusieurs traitements antifongiques ne sont pas capables de pénétrer assez profondément pour l'éliminer totalement ou passent à côté tout simplement. Pendant ce temps, le candida produit des toxines qui l'aident à survivre et qui modifient l'environnement immédiat de façon à ce qu'il puisse continuer à coloniser. Lorsqu'il a percé des trous microscopiques dans la paroi de l'intestin ou d'autres membranes, les sous-produits toxiques générés par les sucres fermentés et autres poisons ne sont plus isolés dans l'intestin et sont absorbés dans le sang. Une des réactions du corps est de produire des anticorps au candida qui, à leur tour, aident à déclencher une attaque du système immunitaire sur eux. Lorsque le candida est implanté dans le système et qu'il y a d'autres levures dans la diète, il s'ensuit ce qui équivaut à une alerte rouge continuelle du système immunitaire, avec une hypersensibilité et de l'inflammation chronique quotidiennes.

En effet, le candida peut causer une réaction en trois étapes: des infections locales déplaisantes, des dérangements plus profonds affectant la digestion et le métabolisme à cause de sa présence dans l'intestin et une réponse allergique ou de type allergique. C'est pourquoi il peut être responsable d'un si vaste réseau de symptômes, du muguet aux éruptions cutanées, à la fatigue chronique et aux problèmes digestifs. On compte également la dépression, une mémoire défaillante et des difficultés de concentration, des sautes d'humeur, de la confusion, des infections répétées d'herpès, des douleurs musculaires et aux articulations. Enfin, à cela s'ajoutent les fringales (surtout pour le pain, les douceurs et peut-être l'alcool), l'indigestion et les intolérances alimentaires (sans mentionner les vraies allergies) et la sensibilité aux moisissures, à l'humidité et à la pollution environnementale (y compris la fumée de cigarette).

Les recherches accomplies au Royaume-Uni et aux États-Unis tentent d'expliquer les effets du candida sur l'esprit et les humeurs. Lorsque les produits d'une fission incomplète des protéines sont absorbés à cause des racines de forme fongique qui se répandent à travers la paroi de l'intestin, ils pourraient agir comme des endorphines, un produit chimique du corps qui enlève la douleur naturellement. Ces produits chimiques peuvent changer l'humeur et affecter l'esprit, la mémoire et le comportement. Les endorphines sont des hormones, des messagers chimiques du corps relâchés directement dans le système sanguin par la glande maîtresse de notre système endocrinien, la pituitaire; ce n'est que récemment qu'ils ont commencé à être étudiés. Certains scientifiques croient qu'ils sont utilisés par le corps pour réguler et conserver l'énergie. Il est déjà admis, selon le Dr Ernest Rossi, qu'ils affectent la façon dont nous répondons au stress, à la douleur, aux humeurs, à l'appétit et à la performance. Ils ont été appelés "exhorphines".

Comme d'habitude avec le candida, il y a diverses opinions sur ce qui se passe avec cette forme fongique. Une école de pensée croit que c'est une étape naturelle de l'évolution dans le cycle de vie du candida et qu'elle se manifeste sous des conditions propices. D'autres estiment que l'organisme est forcé d'adopter une forme fongique lorsque les conditions sont mauvaises; il fabrique des racines lorsqu'il faut trouver de la nourriture et de l'espace pour prendre de l'expansion.

Il y a aussi des divergences d'opinion à propos du syndrome de l'intestin qui coule. Cette situation est importante dans l'histoire du candida, parce que lorsque le candida se manifeste en force dans l'intestin grêle, ses racines parviennent à y percer des trous suffisamment grands pour laisser passer des particules de nourriture partiellement digérées dans le système sanguin, en même temps que des toxines et des morceaux de levure. Ceci provoque une réponse immunologique et, à partir de ce moment, le système immunitaire réagira chaque fois qu'il retrouvera des traces de ces envahisseurs. Comme ces particules voyageuses comprennent des aliments communs, ceci peut entraîner des réactions désagréables ou, dans les pires cas, mener à un état constant et stressant d'alerte rouge biochimique. Plusieurs praticiens croient que c'est une des causes majeures des allergies alimentaires et des intolérances.

Cependant, le médecin naturopathe américain Michael Murray tient à rappeler que le candida n'est pas la seule cause de l'intestin qui coule ou d'une plus grande perméabilité gastro-intestinale pour lui donner son nom officiel: ceci peut donner vie à plusieurs symptômes classiques de surcroissance du candida, mais sans surcroissance effective. Cette affirmation peut ne pas être appréciée de plusieurs praticiens qui essaient de traiter le candida, alors que d'autres, réfutant l'importance du syndrome de l'intestin qui coule, traiteront le candida sans faire quoi que ce soit pour aider à guérir l'intestin.

Alors, y a-t-il un moyen de savoir si vous avez du muguet ou une surcroissance plus répandue de candida? À propos des tests objectifs de laboratoire, il y a encore une controverse. Les tests médicaux standards, comme la vérification d'un échantillon de selle, peuvent ne pas apporter beaucoup d'information au-delà du fait que le candida y est présent, ce qui n'aide pas vraiment, puisqu'il se retrouvera fort probablement dans les selles des gens sains aussi. Ce test peut indiquer si vos selles en contiennent une quantité anormalement élevée, mais ils ne diront peut-être pas si c'est sous forme de levure ou de fongus, ou s'il est envahissant ou contrôlé. Les praticiens expérimentés ont constaté qu'une batterie de tests variés est nécessaire pour obtenir un véritable portrait de la situation. Cette gamme d'examens peut inclure des tests d'allergie et des tests de fonction de la surrénale. Le docteur Murray, par exemple, se sert d'un échantillon assez large de selles et d'un profil d'analyse digestive pour détecter la présence de bactéries bénéfiques dans l'intestin, ainsi que des bornes métaboliques et digestives pour différencier une surcroissance de candida, par exemple, du syndrome de l'intestin qui coule.

Le Yeast Screen-Candascan est un test qui comprend une culture de selles détectant tous les types de surcroissance de levure, y compris le candida, et il peut être utilisé pour établir où prend place la surcroissance. Ce test, combiné au Serum Candida Antigen (un test d'urine pour l'intestin qui coule) et à un test qui mesure combien les glandes médullo-surrénales sont soumises au stress, peut donner un aperçu de la présence d'une surcroissance du candida et de la gravité du problème.

À cause de la complexité des tests requis, plusieurs praticiens et patients arrivent à poser un diagnostic de surcroissance systémique du candida en se servant d'une liste de symptômes à vérifier et d'un questionnaire qui évalue aussi l'exposition de l'individu à des facteurs communs de risque. Les questions clés typiques sont:

• Avez-vous eu un traitement aux antibiotiques pendant un mois ou plus, ou avez-vous eu plusieurs traitements aux antibiotiques dans le courant d'une année?

- Avez-vous déjà été traité avec des stéroïdes?
- Utilisez-vous la pilule anticonceptionnelle?
- Avez-vous été enceinte plus d'une fois?
- Avez-vous été traité avec une médication immuno-suppressive?
- Avez-vous eu le muguet plus d'une fois?
- Avez-vous eu des infections fongiques des ongles ou de la peau, y compris le pied d'athlète, l'herpès tonsurant?
- Souffrez-vous d'allergies?
- Avez-vous eu des cystites, des vaginites ou des prostatites récurrentes ou persistantes?
- Souffrez-vous régulièrement du syndrome pré-menstruel?
- Souffrez-vous régulièrement de:

> ballonnement
> diarrhée
> constipation
> maux de tête
> dépression
> fatigue
> mémoire déficiente
> impuissance
> absence de désir sexuel
> sensations d'irréalité, sensations d'être dans l'espace
> douleurs et courbatures musculaires (sans cause apparente)
> douleurs et enflure des articulations (sans cause apparente)
> troubles visuels?

- les symptômes sont-ils pires par temps humide et collant ou dans des endroits sentant la moisissure?
- Avez-vous des fringales d'aliments sucrés, de pain ou d'alcool?
- Êtes-vous sensible à la fumée de tabac, aux parfums, aux insecticides et autres produits chimiques?

Si les patients répondent «oui» à plusieurs de ces questions, surtout à celles sur les antibiotiques et autres médicaments absorbés, ils peuvent fort bien avoir une candidose. Pour établir un diagnostic plus juste, on leur demande aussi de vérifier une seconde liste de symptômes; si certains de ces symptômes sont également présents, il y a de fortes chances de se trouver en présence d'une surcroissance du candida:

- somnolence persistante
- manque de coordination
- sautes d'humeur
- perte d'équilibre
- éruptions fréquentes
- mucus dans les selles
- rots et gaz
- mauvaise haleine
- bouche ou gorge sèches
- hémorroïdes
- éruption ou ampoules dans la bouche
- écoulement nasal
- congestion nasale
- brûlures d'estomac et indigestion
- douleurs aux oreilles ou surdité
- infections fréquentes aux oreilles
- besoin d'uriner fréquent et urgent

Plus la personne aura identifié de symptômes et plus ils auront été importants, plus le candida risque d'être un problème majeur; le praticien cherche un ensemble de signes, de symptômes et de facteurs de risque, pas seulement quelques-uns isolés.

La plupart des praticiens essayant de traiter la candidose emploient des questionnaires semblables à celui-ci.

Il faut se rappeler que le traitement pratique de la surcroissance du candida est en avance sur la recherche. C'est un domaine où les réponses définitives ne sont pas toujours disponibles; par exemple, l'on ne peut toujours pas expliquer pourquoi certains traitements réussissent pour une personne et échouent pour une autre. On est préoccupé du fait que plusieurs personnes sont convaincues d'avoir le candida et se traitent elles-mêmes pour cette affection, alors que le problème est ailleurs, comme une simple intolérance alimentaire ou un problème musculo-squelettique d'ordre «mécanique» qui doit être traité par des thérapies comme l'ostéopathie, la chiropratique ou d'autres formes de manipulation corporelle.

Une bonne façon de commencer est de répondre au questionnaire ci-dessus. Si vous présentez des facteurs de risque et que plusieurs symptômes semblent s'appliquer à votre cas, vous voudrez peut-être essayer la diète de base anti-candida pendant un mois tout en prenant un des antifongiques naturels recommandés (*voir* chapitre 5). Si rien ne se passe et que vous ne vous sentez ni mieux ni pire, il y a de fortes chances que vous n'ayez pas le candida. Si nécessaire, demandez conseil à un praticien habitué à traiter ce problème ou communiquez avec un groupe d'aide pour obtenir de l'information sur les développements récents de la recherche sur cette maladie.

Si vous souffrez de problèmes de santé que vous croyez reliés au candida, ne laissez personne vous convaincre du contraire. Robert Cathcart, un médecin américain spécialiste du traitement nutritionnel croit, à l'instar de plusieurs experts, que le *candida albicans* est un des plus graves problèmes de notre siècle:

> Le candida doit être diagnostiqué et traité. Les patients doivent se faire expliquer leur responsabilité envers eux-mêmes et la société dans le traitement sérieux du candida, à cause de la possibilité de développement de souches résistantes.

Une partie du problème relié aux bactéries résistantes aux antibiotiques est l'arrêt de la prise d'antibiotiques avant la fin de la prescription; les patients cessent de prendre leur antibiotique dès qu'ils se sentent mieux, ce qui permet à la bactérie de revenir puisqu'elle a reçu juste assez d'antibiotiques pour s'y habituer.

La recherche préliminaire avance que le candida peut être transmis d'une personne à une autre par contact physique. Au Japon, les médecins croient que le *candida albicans* est régulièrement transmis de cette façon ou par des aliments contaminés. Comme le souligne le *National AIDS Manual* au Royaume-Uni:

> Puisque certaines souches peuvent résister au traitement antifongique, ceci implique que des souches résistantes aux médicaments peuvent être passées à quelqu'un qui n'a jamais reçu de traitement antifongique.

La relation étroite avec les allergies

Il y a une forte relation entre le candida et les allergies; à l'origine, on croyait que les symptômes de la candidose étaient entièrement attribuables à une réaction allergique causée par l'apparition du candida dans l'intestin. La recherche semble prouver que même si cela peut se produire, la surcroissance du candida peut causer un plus grand problème comme:

- une augmentation généralisée de la sensibilité aux levures, moisissures et fongus;
- des intolérances et des sensibilités à plusieurs aliments différents et aux produits chimiques communs comme les parfums et les nettoyeurs domestiques.

Le Dr James Braly, un spécialiste des allergies, dit du candida: «Ses symptômes imitent parfois ceux des allergies alimentaires. Parce que les deux sont parfois reliés… ils doivent être traités ensemble.»

Le candida produit lui-même 70 toxines. Comme si cela ne suffisait pas à causer un état constant d'alerte rouge du système immunitaire, il peut aussi produire de microscopiques trous dans la paroi de l'intestin qui laissent les molécules d'aliments non digérés pénétrer dans le sang. Les résultats peuvent être un flot de symptômes semblables aux allergies alimentaires, l'épuisement et une incapacité du système immunitaire à combattre le candida. C'est ce qu'on appelle un système immunitaire compromis, déjà distendu et, par le fait même, incapable de s'attaquer aux bactéries quotidiennes, ce qui rend le patient vulnérable à des rhumes et grippes en série.

Les véritables allergies alimentaires sont en réalité fort rares. Elles sont habituellement immédiates, dramatiques et identifiables par un test cutané: si quelqu'un est allergique à une substance, il réagira par une enflure immédiate, une marque, dès que des particules infinitésimales seront introduites dans le derme.

Une réaction beaucoup plus commune est la réponse tardive aux allergies alimentaires ou intolérances. Dans la majorité des cas d'allergies alimentaires classiques, les symptômes comme l'inflammation, l'asthme, la fièvre des foins, l'urticaire, les éternuements et ainsi de suite, commencent aussitôt qu'une personne est exposée à une quantité, même petite, de nourriture ou de substance allergène. Par contraste, dans les réactions tardives, la quantité de nourriture peut varier beaucoup. Et il pourra y avoir ou non une réaction, selon les autres aliments que le patient a ingéré avec la substance qui lui est contraire et selon le niveau de stress qu'il vit lorsqu'il mange cette substance.

Cependant, le facteur clé à se rappeler est qu'avec ce type d'intolérances, la réaction ne se produit pas immédiatement. Des symptômes comme le ballonnement, les éruptions cutanées, le mal de tête et la fatigue peuvent se produire plusieurs heures, voire 2 jours, après avoir mangé l'aliment suspect. Évidemment, ceci rend difficile l'identification de l'aliment ou du produit chimique allergène.

La bonne nouvelle est que vous n'avez pas à partir en chasse. L'expérience montre que chez la majorité des gens, cette hypersensibilité se corrige d'elle-même dès que le candida diminue dans l'intestin et que ce dernier guérit.

Selon un expert, si les tests ne peuvent confirmer qu'une personne souffre du candida, sa sensibilité à cette maladie devrait être prise en compte. Le traitement correcteur de l'équilibre bactérien dans l'intestin et la réparation du dommage fait à la paroi intestinale devraient être considérés. Il semble qu'il y ait une forte occurence de sensibilités aux aliments et aux produits chimiques dans les cas où le candida est présent, et ceci doit faire l'objet d'un examen attentif.

CHAPITRE 2

Que se passe-t-il dans l'intestin?

Dans le cours normal de la vie nous ne pensons pas à notre système digestif à moins qu'un problème se présente. Mais pour comprendre les multiples effets qu'une propagation du candida peut créer, nous devons regarder à l'intérieur ou plutôt à «l'extérieur». Après tout, notre système digestif est tout simplement un long tube qui va de la bouche à l'anus. Il est conçu de façon à garder en lui tout ce qu'il contient, jusqu'à ce que ce soit décomposé et transformé chimiquement, digéré dans une forme acceptable et en format capable d'être absorbé par le sang et la lymphe. Vous ne pouvez pas, par exemple, transmettre l'énergie présente dans un sandwich directement à vos muscles. En premier, vos dents brisent un peu le sandwich, en même temps que les enzymes de votre salive commencent à désintégrer chimiquement les aliments; le processus continue jusqu'à ce que les morceaux de nourriture deviennent de plus en plus petits et suffisamment microscopiques pour passer dans votre sang. En même temps, tout est vérifié pour assurer la sécurité.

Le système digestif est doublé par des muqueuses spécialisées et protégé par un véritable arsenal d'éléments spéciaux qui vont de l'acide stomacal destructeur de bactéries à la mobilité musculaire de certains endroits comme l'intestin grêle. Des colonies de milliards de bonnes bactéries jouent un rôle important en nous protégeant des ravages exercés par les bactéries, les virus, les parasites et leurs sous-produits empoisonnés.

Ces micro-organismes sont comme nous. Ils ont trouvé une bonne niche environnementale et se sont arrangés pour en bénéficier le plus possible. Lorsque nous regardons ce qui va dans l'intestin, nous devons être des écologistes et commencer à penser en termes d'habitat, de densité de population et de stratégie de survivance. Ce que nous avons en nous est aussi complexe, de plusieurs façons, que tout autre habitat naturel à l'équilibre délicat: pour que le système d'un récif de corail ou d'une forêt tropicale continue à se développer, il faut que l'équilibre de la nature permette à différentes formes de vie de coexister.

Il y a environ 400 espèces différentes de bactéries qui sont présentes de la bouche à l'anus, par le système gastro-intestinal. Les bactéries présentes dans le gros intestin pèsent environ 1,3 kg et sont suffisamment importantes pour être considérées comme un organe en elles-mêmes. Même si le foie est perçu comme la manufacture métabolique la plus active du corps, certains experts affirment que l'activité métabolique des bactéries intestinales est potentiellement équivalente.

Ces bactéries sont très occupées. Elles contribuent à compléter le processus digestif en ralentissant le rythme par lequel les aliments quittent l'estomac; elles décomposent des parties de protéines et d'hydrates de carbone et certains types de sucres et de gras, y compris le cholestérol, croient certains chercheurs. Elles synthétisent les vitamines, surtout dans le gros intestin, y compris les B1, B2, B6, B12, l'acide folique, la biotine, la niacine, l'acide pantothénique et la vitamine K (la biotine de la vitamine B arrête la transformation de la levure de candida en forme fongique). On croit également qu'elles améliorent la disponibilité des minéraux et stimulent le système immunitaire.

Les bactéries ont aussi un rôle protecteur en accroissant notre résistance aux autres bactéries, mêmes celles virulentes des empoisonnements alimentaires. C'est que les bactéries produisent des antibiotiques naturels comme l'acidophiline qui est efficace contre un très grand nombre d'organismes pouvant causer des maladies. En convertissant le lactose (le sucre du lait) en acide lactique, les bactéries gardent aussi l'environnement de l'intestin légèrement acide, ce qui est contraire au candida et à d'autres agents responsables de maladies comme le choléra, la salmonellose et le giardia.

Une étude a démontré qu'une dose quotidienne de *lactobacillus acidophilus*, la première bactérie protectrice, assure une barrière efficace contre les problèmes gastro-intestinaux des voyageurs qui séjournent au Népal, au Mexique et au Guatémala. Le Dr Keith Schnert, en collaboration avec l'Augsburg College de Minneapolis, a recruté 70 voyageurs à qui il a donné deux capsules d'*acidophilus* par jour. Seulement deux d'entre eux souffrirent de diarrhée ou de problèmes digestifs, par comparaison à la moyenne de 14 ou 20 à laquelle on pouvait s'attendre.

Une flore intestinale bien établie et saine, comprenant quelques espèces indigènes, offre d'autres façons simples de tenir le candida à distance:

elle occupe tout l'espace disponible et emploie les sucres dont le candida tirerait avantage autrement.

Lorsque le candida a le champ libre dans l'environnement intestinal, par exemple quand d'autres bonnes bactéries ont été détruites par les antibiotiques, il en profite rapidement. La levure prolifère et infecte de plus en plus de cellules, les faisant mourir. Le biologiste allemand Joachim Hartmann, qui a étudié le cycle de vie du candida, croit que lorsque les cellules se brisent et libèrent leur contenu d'eau, d'énergie et d'autres nutriments, cela stimule le candida qui se transforme de levure à fongus. Une autre théorie veut que le candida commence à faire des racines dans une quête de sucre et/ou d'espace, soit parce qu'il souffre de manques en raison d'une surpopulation ou parce qu'il est affamé par une diète rigoureuse. Ou encore, le changement peut s'opérer aussitôt qu'il y a une déficience de facteurs, telle que la biotine de la vitamine B, qui normalement l'arrêterait.

Le terrain principal où toute cette activité prend place est l'intestin grêle, dans lequel l'estomac se vide, puis le gros intestin ou côlon. Il y a relativement peu de bactéries dans l'intestin grêle (qui est techniquement divisé en trois parties, le duodénum, le jéjunum et l'iléum) et elles sont dominées par la famille de l'acide lactique comme le *lactobacillus acidophilus* et le *lactobacillus casei*. L'intestin grêle est nourri du contenu de l'estomac. Lorsque l'acide stomacal est suffisamment élevé, peu de microorganismes causant des maladies peuvent pénétrer. De la même manière, l'acide de l'estomac est nécessaire à la stimulation du pancréas, plus bas dans la chaîne digestive, afin de produire des jus alcalins. Ce

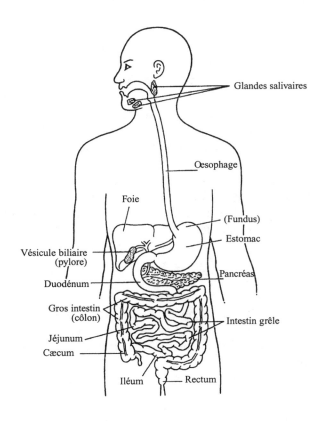

Fig. 2 Le système digestif

changement d'acide à alcalin permet aux enzymes pancréatiques de s'emparer de la digestion des aliments dans l'intestin grêle après leur passage dans l'estomac; il peut aussi modifier l'équilibre bactérien, puisque les bonnes bactéries normalement présentes dans cette partie de l'intestin ne peuvent survivre dans un environnement acide. La mobilité du petit intestin déplace les aliments assez rapidement, ce qui fait que les bactéries de l'empoisonnement alimentaire s'attachent plus difficilement aux parois et causent moins de problèmes. Cependant, l'absorption de la plupart des nutriments tirés des aliments se fait dans l'intestin grêle et si quelque chose s'interpose dans son fonctionnement normal, le risque de maladie est grand.

Dans le gros intestin, le mouvement des aliments digérés est plus lent et il en résulte une croissance massive de bactéries, mais seulement la variété pouvant survivre sans oxygène. Diverses espèces dominent ici: la bactérie *bifido* très utile et la *bactéroïdes* qui est neutre.

Selon le Dr Nigel Plummer, microbiologiste et biotechnologue spécialiste de cet environnement, les différentes dimensions des populations sont étonnantes:

> Dans un estomac normal, il devrait y avoir moins de cent organismes par gramme de contenu. Dans l'intestin grêle, il y en aura de dix mille à un million par gramme. Dans le côlon, ce sera un nombre stupéfiant de mille milliards par gramme.
>
> (*BioMed Newsletter*, no. 10, 1984)

Approximativement la moitié du poids de nos selles provient des bactéries.

Lorsque nous absorbons des antibiotiques oralement, ils vont de l'estomac à l'intestin grêle, où ils sont absorbés dans le système sanguin. Le Dr Plummer décrit ce qui se passe ensuite:

> Pendant que l'antibiotique dissous est dans l'intestin grêle en attente d'absorption, il est concentré beaucoup plus que sa concentration systémique de travail (concentration dans le système sanguin). Ceci signifie que la population de micro-organismes dans l'intestin grêle est exposée à une solution d'antibiotiques énormément concentrée et que très peu de ces micro-organismes y survivront.

L'effet des antibiotiques communs comme l'oxytétracycline, la tétracycline et l'ampicilline sur le *lactobacillus acidophilus* est dramatique: il est balayé.

> Inversement, lorsque l'antibiotique est dans le système sanguin, il est efficacement dilué et devient encore plus dilué lorsqu'il circule dans les divers organes et les tissus du corps. Ainsi, le gros intestin et sa microflore sont exposés à un niveau très dilué d'antibiotiques par comparaison à la partie supérieure de l'intestin grêle. De plus, la masse de bactéries du gros intestin est tellement grande que les antibiotiques ont peu d'effet sur elles.

L'action des antibiotiques efface la microflore de l'intestin grêle qui perd toutes ses fonctions métaboliques et protectrices. Par contraste, le gros intestin conserve une population active de microbes. Ceux-ci vont émigrer vers l'intestin grêle où la niche écologique est maintenant prête pour la colonisation.

Malheureusement, l'environnement de l'intestin grêle modifié par les antibiotiques est un terrain favorable à la croissance d'organismes comme le streptocoque des selles, lequel est indésirable en grand nombre et peut contribuer à expulser les bonnes bactéries qui contrôlent le candida.

À ce sujet, le Dr Plummer affirme que:

> Parfois, et plus souvent qu'il est généralement admis, la recolonisation de l'intestin grêle peut prendre place alors même que l'antibiotique est utilisé. C'est à ce moment que les espèces de levures, habituellement le *candida albicans*, s'installent dans l'intestin grêle, puisqu'elles n'ont pas été dérangées par les antibiotiques. Une fois installées, les levures sont très difficiles à déloger.

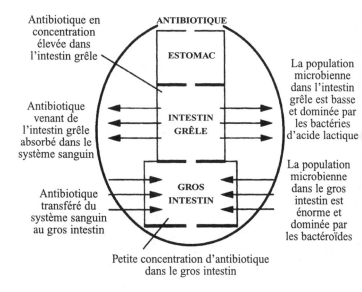

Figure 3 Comment les antibiotiques affectent les bactéries dans l'intestin (Courtoisie du Dr Nigel Plummer et de *BioMed Newsletter*)

Il est important de se rappeler que le candida ne doit pas dominer dans l'intestin grêle, et ce pour la raison suivante: il cherche à s'approprier la nourriture que nous essayons de digérer. Comme toute bonne levure, le candida s'empare du sucre et commence à le digérer en produisant des gaz et de l'aldéhyde, un type d'alcool. Il en résulte un ballonnement de notre intestin, des gargouillis et des vents. Les levures se nourrissent aussi de protéines et libèrent des produits chimiques potentiellement toxiques, appelés des amines vasoactives. On les appelle ainsi parce que ces amines affectent les muscles contrôlant la (vaso)constriction et la (vaso)dilatation des vaisseaux sanguins. Selon les naturopathes, les amines contribuent au syndrome de l'intestin qui coule, causent des douleurs abdominales et empêchent l'intestin d'agir spontanément pour contrer la croissance des micro-organismes qui déclenchent des maladies.

À un certain moment, le candida passe de la forme bénigne de levure au fongus, lequel cause des maladies, contrecarre le métabolisme et la digestion, détruit les cellules et endommage les tissus comme la paroi de l'intestin et éventuellement les organes qui deviendront inefficaces. Selon le Dr Pavel Yutsis:

> Des toxines particulièrement virulentes comme les canditoxines seront relâchées et au moins 79 substances chimiques connues amèneront le corps humain à produire des antigènes identifiables.

Un antigène est une substance qui peut déclencher une réponse immunologique ou être impliqué dans cette réponse. Ceci peut produire un énorme stress pour le système immunitaire, surtout qu'il y a plus de 80 souches de candida, dont le *candida albicans*; en d'autres mots, lorsque le candida commence à se multiplier, notre système immunitaire pourrait avoir à répondre à des milliers de composés chimiques différents.

En soi, les levures de candida ne sont pas classées comme pathogènes parce qu'elles ne déclenchent pas d'infection chez les gens normaux en santé. Il doit d'abord y avoir un changement dans «l'écologie» du corps avant que se manifestent une colonisation du candida ou des symptômes de maladie. Cependant, même des déviations mineures de la physiologie du corps, de sa capacité de défense et de sa flore intérieure peuvent suffire. L'importance des changements sur le «terrain» détermine la gravité de la candidose.

Le grand problème semble se situer au niveau du «terrain» modifié par les antibiotiques ou d'autres médicaments, combiné au stress, à une diète haute en sucre et peut-être à la pilule contraceptive, lesquels permettent au candida de se développer beaucoup plus rapidement que les bactéries protectrices. On croit habituellement qu'après la prise d'antibiotiques, la flore se rétablira d'elle-même, mais cette hypothèse demeure à prouver.

Un scénario plus plausible est que les antibiotiques ne sont qu'un facteur d'une modification massive de l'environnement interne du corps. Même avec une diète favorable au candida et un certain niveau de stress, les colonies de bactéries protectrices sont suffisamment importantes pour dominer physiquement et chimiquement l'environnement. Mais lorsque les antibiotiques les balaient, le candida trouve l'espace permettant la colonisation, accède aux nutriments tel le sucre et n'est plus affecté par les acides et les produits chimiques anti-microbiens qui seraient normalement fournis par les bonnes bactéries.

À la fin d'un traitement aux antibiotiques, le dommage est consommé. La recherche montre que les organismes qui sont alors dominants, quels qu'ils soient, resteront dominants. Plusieurs personnes victimes du candida ont eu recours à de fréquents et longs traitements aux antibiotiques. Ceci signifie que le candida a bénéficié d'une excellente chance de bien s'implanter.

CHAPITRE 3

Causes et facteurs de risque

Le candida requiert trois choses avant de devenir dangereux: un endroit pour vivre, un apport continu de nourriture et une perte de capacité du système immunitaire. Malheureusement, il semble que le style de vie moderne favorise un état qui répond souvent aux besoins essentiels du candida.

Antibiotiques

La majorité des chercheurs s'entendent sur le fait que l'emploi des antibiotiques est le facteur le plus important à l'origine de l'émergence du candida en tant que problème chronique de surcroissance. Les antibiotiques modifient complètement la micro-écologie de l'intestin, laquelle est vitale pour la santé. Le candida peut revenir plus rapidement que les bactéries protectrices parce que la diète habituelle, riche en sucre raffiné et élevée en hydrates de carbone (des formes complexes de sucre), favorise la croissance de levure.

Ainsi, le médecin naturopathe, Joseph Pizzorno, n'hésite pas à affirmer que: «La surcroissance du candida est un résultat non surprenant de la prise d'antibiotiques donnés aux patients hospitalisés.» Dans son livre *Total Wellness,* il présente les résultats d'une étude de 1993 menée auprès de 55 patients admis à l'urgence d'un hôpital et ayant reçu des antibiotiques à large spectre. Des tests sanguins montrèrent que 67 pour cent d'entre eux développèrent des surcroissances du candida. Les chercheurs découvrirent aussi que les cellules blanches sanguines du système immunitaire de ces patients ne pouvaient pas enrayer la prolifération du candida aussi efficacement que les cellules blanches sanguines des patients qui n'étaient pas atteints du candida.

En d'autres termes, lorsque les patients reçoivent des antibiotiques, le nombre de candida dans leur intestin augmente tellement et l'intestin devient si endommagé que des morceaux de candida se répandent dans le sang, inhibant ainsi les fonctions de leur système immunitaire.

La pneumonie et la tuberculose sont en hausse. Même les hôpitaux ont de la difficulté à garder sous contrôle les bactéries qui sont devenues résistantes à presque tous les médicaments. Pendant ce temps, il y a eu un accroissement continu des empoisonnements alimentaires soit, de 1 000 cas rapportés en 1980 à environ 40 000 à 50 000 cas par année actuellement, pour le Royaume-Uni seulement.

Selon un rapport de l'Organisation mondiale de la santé (OMS), les bactéries développent très rapidement une résistance aux antibiotiques, tellement vite, en fait, que les compagnies pharmaceutiques qui tentent d'en fabriquer de nouveaux sont souvent dépassées. «Ce problème de résistance aux antibiotiques en est un qui, d'après moi, constituera la peste du prochain siècle» prédit Ralph Henderson, sous-directeur de l'OMS.

Les scientifiques craignent de revenir à la période antérieure à la découverte de la pénicilline, alors que les infections banales étaient mortelles. Les bébés, les enfants et les vieillards sont très à risque de graves maladies à long terme et même de mort. Les super-bactéries s'en viennent et l'on craint maintenant que les antifongiques conventionnels employés pour le traitement du candida ne connaissent le même problème. Pavel Yutsis, un spécialiste des allergies, est convaincu que la nystatine, par exemple, ne peut plus débarrasser complètement le corps du *candida albicans*. Il croit plutôt qu'il se développe une résistance à la nystatine et que le candida la transmet aux générations successives. Malheureusement, il ne s'agit pas seulement de nous faire arrêter de prendre des antibiotiques pour la moindre infection. Plusieurs animaux de boucherie reçoivent des doses régulières d'antibiotiques, pas seulement pour des infections mais pour stimuler leur croissance. Il en résulte qu'une souche de la bactérie responsable de l'empoisonnement alimentaire, la salmonelle, a déjà développé une résistance aux médicaments, pour se répandre partout en Angleterre: aux bovins, aux moutons, aux cochons et à la volaille. Les scientifiques ont déjà découvert cette souche chez les humains et croient qu'elle est passée dans les saucisses, le poulet ou les hambourgeois. Les microbiologistes de Birmingham University ont trouvé qu'un poulet sur quatre acheté dans les supermarchés britanniques contient une bactérie d'empoisonnement alimentaire résistante aux antibiotiques communément prescrits.

La cuisson ne tue pas ces puissantes bactéries, pas plus que ne le fait la pasteurisation; un autre microbe que l'on croit responsable de la maladie de Crohn, une dangereuse inflammation de l'intestin, fut trouvé dans le lait de vache acheté dans les magasins du Royaume-Uni. Les tests révèlent qu'un échantillon de porc et d'oeufs sur trente est contaminé aux antibiotiques, au-delà des normes établies par le gouvernement britannique. Les scientifiques réunis à un séminaire européen jetèrent le blâme sur les antibiotiques employés par les fermiers pour l'augmentation de 10 pour cent des cas d'empoisonnement alimentaire. Aux États-Unis, une étude de Rutgers University établit que les antibiotiques employés à des niveaux jugés sécuritaires pour la consommation humaine par le Food and Drug Administration (FDA) augmentaient le taux de développement d'une bactérie résistante de 600 à 2 700 pour cent.

Le docteur Peter Wilson, conférencier en microbiologie à l'University College Hospital de Londres, soutient que les brèches dans les normes de sécurité mettent en danger les vieillards, les malades et les personnes dont le système immunitaire est affaibli, y compris celles qui sont victimes d'une surcroissance chronique du candida.

La puissante et probablement la plus inquiétante des bactéries est un type commun de *staphylococcus*, lequel peut causer des infections ou des abcès de la peau et est souvent présent dans les cas d'empoisonnement alimentaire. Jusqu'à tout récemment, cette bactérie était vulnérable à un antibiotique prescrit, mais une souche résistante, trouvée au Japon et aux États-Unis, fera inévitablement son apparition dans d'autres pays. Pendant ce temps, dans un effort fait pour enrayer les infections causées par les puissantes bactéries, de multiples traitements aux antibiotiques sont administrés, souvent en doses massives, ce qui sème la pagaille dans notre écologie bactérienne interne et pave la voie à une épidémie de surcroissance chronique du candida.

Autres facteurs

Pour ajouter à notre inconfort, le style de vie moderne est devenu synonyme de stress. Lorsque nous sommes stressés, même si nous nous en tirons bien, nous produisons naturellement des produits chimiques qui peuvent atténuer notre système immunitaire. Le candida n'a pas besoin de beaucoup d'aide à ce niveau. Lorsqu'il est implanté, il commence à produire ses propres toxines qui le protègent des attaques par les cellules de notre système immunitaire. Mais le stress affecte aussi les bactéries de notre intestin, inversant l'équilibre en faveur des microbes et des parasites, comme le candida, qui produisent des maladies. Cette réaction se produit parce qu'en réponse au stress, les sécrétions normales de notre système digestif deviennent plus acides et les mouvements naturels de l'intestin diminuent, conditions que nos bonnes bactéries *lactobacillus* et *bifidus* n'aiment pas.

Un autre facteur qui peut être important est la façon par laquelle nous en sommes venus à compter sur les hydrates de carbone en général et le blé en particulier. En termes évolutionnistes, le blé est un nouveau venu, apparaissant dans nos diètes grâce à la révolution agricole survenue il y a environ 10 000 ans. La physiologie humaine est encore paléolithique, pratiquement inchangée depuis environ 17 millions d'années. Il y a de plus en plus de preuves que nous n'avons tout simplement pas eu le temps de nous adapter au blé, une hypothèse venant du fait que les plus anciennes variétés de blé, comme l'épeautre, sont mieux tolérées.

Le raffinage ou encore les quantités de blé que nous absorbons pourraient également être en cause. Le blé est partout, pas seulement dans le pain et les gâteaux; on le retrouve, sous une forme ou une autre, dans presque tous les aliments préparés, allant des fèves cuites au poisson. Le gluten, une protéine du blé, est un irritant majeur pour les gens qui y sont sensibles, car il affecte les surfaces repliées de l'intestin appelées villus qui nous permettent d'absorber les nutriments des aliments. Certains chercheurs croient que beaucoup de personnes sont sensibles au blé et ne le réalisent pas. Le blé est habituellement le premier sur la liste des aliments suspects que les praticiens recommandent d'éliminer de la diète si une intolérance ou une allergie est soupçonnée. La réaction est souvent retardée, se manifestant entre une heure et deux jours ou plus après avoir absorbé l'aliment. Il peut impliquer différents systèmes du corps et causer des symptômes psychologiques et physiques variés, peut-être parce que ses principaux effets se produisent sur la muqueuse couvrant le système digestif, d'où ils peuvent provoquer un écoulement de l'intestin. Les similitudes avec les effets du candida sont évidentes: cette sensibilité répandue au blé, qui cause des dommages à la paroi intestinale, est peut-être un autre facteur important qui prépare le terrain pour le candida.

Étude de cas: Fiona

En termes de facteurs de risque associés au candida, Fiona, à 41 ans, était un cas classique. «J'ai toujours aimé les aliments sucrés, en particulier le chocolat. J'avais eu des infections de la gorge dans mon enfance et j'avais reçu beaucoup d'antibiotiques, comme de la tétracycline, à un certain moment, un cas assez typique.» Elle souffrait aussi de stress.

Mais elle suivit une diète anti-candida et pris des suppléments pour réussir à maîtriser la situation. Elle se remet du syndrome de la fatigue post-virale, un état qui accompagne souvent le candida et bien qu'elle ne se soit pas débarrassée encore de ce syndrome, elle dit ressentir maintenant deux fois plus d'énergie qu'avant.

Ses problèmes semblent avoir commencé après une attaque de fièvre glandulaire et une longue période de stress. «J'avais de nombreux symptômes, dit-elle. Le pire était une fatigue constante et persistante, la tête embrouillée, ce qui rendait la concentration très difficile». Ex-journaliste et travaillant activement en relations publiques, elle était devenue incapable de lire un livre ou de regarder la télévision sans se sentir épuisée. «Je ne pouvais faire les plus simples tâches pour plus de 20 minutes.»

Elle commença à chercher de l'aide. Elle dépensa beaucoup d'argent en consultations et trouva que son premier médecin, spécialiste en nutrition, ne l'aida pas beaucoup, bien qu'elle passa alors des tests qui signalèrent que le candida était un problème. Fiona accepta une diète anti-candida sans sucre et sans levure, accompagnée de médicaments antifongiques. Sa situation s'aggrava constamment. Après deux ans, elle alla voir un autre nutritionniste qui utilisa un système d'évaluation de santé non agressif appelé VegaTesting, lequel prend une lecture électrique des systèmes et des organes du corps.

«Le docteur me dit que je devais suivre une diète anti-candida, ce que je savais, mais il me donna une information absolument primordiale en me disant que je devais absolument abandonner les fruits.» Ce fut un point tournant. À ce moment-là, elle mangeait trois à quatre fruits par jour, pensant que c'était la chose saine à faire. Elle coupa les fruits et pendant les deux semaines qui suivirent souffrit de ce qu'elle décrit comme la plus incroyable réaction, se sentant faner. Même si c'était déplaisant et causait un ensemble de symptômes aigus comme les maux de tête, la nausée, la dépression et la fatigue, cette réaction est celle que chaque victime du candida espère provoquer, parce qu'elle signifie que le problème se résorbe: le foie, organe principal de désintoxication, procède à l'élimination des toxines.

Même si elle se sentait malade, Fiona réalisait qu'elle était sur la bonne voie. Elle suivit rigoureusement sa diète: pas de sucre, pas de levure, pas de miel ou toute autre forme de sucre, et surtout pas de fruit. Elle atteignit d'autres résultats satisfaisants lorsqu'un troisième thérapeute lui donna un régime efficace de suppléments. Il ajouta une liste de suppléments élémentaires recommandés plus loin dans ce livre (*voir* chapitre 5), qui comprend un programme de recolonisation majeure par des probiotiques (des suppléments de bonnes bactéries), de l'ail, de l'aloès, de l'acide caprylique et une combinaison d'extraction de plantes comprenant de l'origan, du clou, de l'armoise, du gingembre, de l'huile de graine de bourrache. Ce médecin enrichit le programme en prescrivant un supplément naturel conçu pour tuer les protozoaires qui sont un type de micro-organismes parasites répandus par les animaux domestiques ou les aliments contaminés qui, selon certains praticiens, ont plus de chance de s'épanouir dans un environnement interne perturbé par le candida.

L'étape suivante du traitement s'étala entre 18 mois et deux ans, mais la discipline exigée en valut la peine. «Depuis que je prends des suppléments et que je suis cette diète, ma santé s'est beaucoup améliorée» dit Fiona. «Je n'ai pas complètement pris le dessus sur la fatigue post-virale, mais le candida est sous contrôle. Je peux travailler de trois à quatre heures par jour, ce qui est une grande amélioration par rapport aux 20 minutes antérieures.» Elle a maintenant l'énergie nécessaire pour faire des recherches sur la fatigue post-virale et écrire un livre sur le yoga et la fatigue.

CHAPITRE 4

Traitements médicaux conventionnels

S'attaquer au candida peut constituer un processus complexe et la meilleure façon de commencer est de consulter votre médecin habituel. Cependant, vous pourrez constater qu'il est incapable de superviser tout votre traitement ou qu'il n'est pas nécessairement d'accord avec ce diagnostic de surcroissance systémique du candida. Puisque la tâche est souvent trop compliquée pour que vous vous y attaquiez seul, il serait bon d'entrer en communication avec une des organisations qui s'intéressent à ce problème afin de vous aider à trouver un praticien expérimenté en santé complémentaire.

Les réticences des médecins sont de deux ordres. Premièrement, leur formation leur apprend que la surcroissance du candida a peu de chance de devenir un problème sérieux, à moins que l'immunité du patient soit dangereusement compromise. Ceci pourrait arriver si le patient est:

- dans un état de stress important
- aux prises avec une infection virale
- médicamenté avec des immuno-suppressifs comme les stéroïdes ou les antibiotiques
- au milieu d'un traitement intensif pour des maladies comme le cancer ou une infection au VIH.

Ainsi lorsque le médecin vous examine pour diagnostiquer le candida, il cherche d'abord des taches blanches, des rougeurs ou des écoulements dans la bouche ou le vagin, ou encore une infection de la peau, des cheveux ou des ongles. Si le diagnostic est positif, il vous prescrira probablement un traitement local au moyen de crèmes, de poudres ou de suppositoires, et s'ils ne sont pas efficaces, ce sera une prescription de médicament antifongique.

Les problèmes digestifs, la fatigue chronique, le cerveau embrumé, le ballonnement, la dépression et autres symptômes ne seront probablement pas vus comme étant reliés à une surcroissance du candida. Puisque les scientifiques sont à plusieurs années de faire toute la lumière sur les effets du candida, cette vision étroite des choses est partiellement justifiée. Mais comme certaines études montrent que la surcroissance du candida affecte régulièrement un fort pourcentage de gens après un traitement aux antibiotiques, peut-être que l'emploi d'antibiotiques à long terme pourrait devenir un indice indiquant la nécessité d'une recherche plus poussée.

Le candida dans la bouche sera traité par des agents anti-levure comme les rince-bouche ou des solutions orales de médicaments comme la fluconazole (Diflucan) qui règlent complètement le problème en deux semaines. Des pastilles ou du sirop, contenant les antifongiques nystatine ou amphotéricine, seront aussi employés.

Si l'infection est plus étendue, des pilules de fluconazole pourront être prises, ainsi qu'un autre médicament azole, le cétoconazole (Nizoral), qui peut causer des effets secondaires comme la nausée et des éruptions, et qui, à l'essai chez des personnes atteintes du VIH et du candida dans l'œsophage ne produisit pas les résultats escomptés.

Il y a trois inconvénients à ces traitements. Premièrement, ils sont essentiellement des antibiotiques qui risquent de détruire des bactéries utiles à l'intestin. Deuxièmement, il y a le danger des effets secondaires. Troisièmement, on se préoccupe de la possibilité qu'ils développent des souches résistantes de candida.

Ceci a déjà fait l'objet de rapports. Une étude norvégienne publiée en 1993 a montré l'émergence de 12 souches résistantes de candida chez huit personnes atteintes du sida et traitées avec le fluconazole pendant un mois ou plus, parfois en auto-médication, pour un candida de la bouche ou du gosier. Une étude à Duke University révèle aussi qu'un grand nombre de patients ne réussissent pas à se débarrasser des symptômes du candida malgré un traitement aux médicaments azoles. Il est inquiétant de constater que des souches résistantes qui se développent peuvent se retrouver en plus grande quantité par l'usage plus étendu de ces médicaments à des fins prophylactiques. Un médicament à base de fluconazole est disponible en vente libre dans ce que l'on décrit comme un nouveau traitement oral en une seule capsule pour le muguet vaginal. Les fabricants suggèrent aux femmes d'en garder une dose dans leur armoire à médicaments afin de s'en servir dès l'apparition des symptômes. Ils disent: «Si vous savez que le muguet apparaîtra à un moment donné de votre cycle, demandez à votre médecin d'utiliser un pessaire ou un traitement en capsule au moment où les symptômes se manifestent, ceci pourrait briser le cercle vicieux du muguet cyclique.» Ce n'est pas le cas. Comme nous l'avons déjà mentionné, la recherche indique clairement que les femmes ayant des attaques répétées de muguet ont un réservoir intestinal de levures. La raison pour laquelle cette infection réapparaît est que ces traitements ne s'attaquent pas vraiment au problème. L'industrie pharmaceutique répond à ces problèmes de la façon dont elle l'a toujours fait: en modifiant les médicaments existants ou en trouvant des formules complètement nouvelles dans une course sans fin pour devancer la résistance que la bactérie développe. Aux États-Unis, une nouvelle prescription antifongique, la terbinafine HCI, peut remplacer la fluconazole.

Les aspects négatifs des médicaments sont connus de certaines personnes dans la communauté homosexuelle qui cherchent des moyens efficaces de rester en santé, avec ou sans le VIH, et qui ont une vaste expérience des antifongiques et des antibiotiques. Rufus Dennis écrit dans le magazine *Continuum*:

> Les essais de traitements avec des médicaments comme le fluconazole ou le nystatin ne sont pas la solution. Ils peuvent sembler éliminer les symptômes mais c'est seulement une amélioration temporaire; les effets secondaires des médicaments et une maladie fongique chronique à long terme, sont beaucoup plus difficiles à traiter.

Les médicaments azoles sont appréciés parce qu'ils sont absorbés par l'intestin, se répandent dans le système sanguin et traitent le candida où qu'il soit. Mais ils peuvent causer des effets secondaires. Par contraste, le nystatin et un autre antibiotique antifongique, l'amphotéricin, sont censés être plus sûrs parce qu'ils restent dans l'intestin et ne se répandent pas dans le système sanguin. Il n'est pas clair si cette supposition est fiable, à cause du dommage que le candida fait à la paroi intestinale. Lorsque le candida systémique menace la vie, l'amphotéricin peut être administré par injection, car dans ce cas il passe outre au système digestif et va directement dans le sang; cette façon de faire est considérée comme extrêmement toxique et potentiellement dangereuse pour le patient.

Le docteur William Crook soutient que malgré ces inconvénients: «L'azole est important, il est un médicament sûr et je le recommande.» Afin d'essayer d'arrêter le développement de souches résistantes, il suggère une surveillance plus étroite des progrès du patient. Aussitôt que l'on remarque une amélioration des symptômes, dit-il, les médicaments azoles peuvent être diminués ou même arrêtés après quelques semaines de traitement. En plus, selon lui:

> Une médication antifongique non absorbable peut être donnée en même temps que la médication azole et devrait être continuée après que celle-ci soit arrêtée. Ces médicaments comprennent le nystatin, l'acide caprylique et/ou des extraits de graines de fruits citrins.

Le docteur Crook pense qu'au-delà de la prise de médicaments azoles, les patients devraient aussi limiter leur consommation de sucre et d'hydrates de carbone, prendre des suppléments nutritionnels, obtenir de l'aide émotionnelle et éviter les polluants chimiques. Robert Cathcart, un autre médecin, pense que des suppléments de vitamine C peuvent augmenter l'efficacité de ces médicaments et, en même temps, aider le corps à s'adapter aux effets secondaires (plus sur ce sujet au chapitre 5).

Plusieurs médecins à tendance holistique préconisent un traitement au nystatin sous forme de poudre. «Le nystatin est sans conteste le médicament le plus sûr que l'on puisse trouver dans la pharmacopée britannique.», dit un des experts en allergies, le Dr John Mansfield. Mais même s'il croit que le nystatin est le médicament le plus efficace pour réduire les colonies de candida, d'autres praticiens assurent qu'un usage à long terme et à hautes doses peut causer des problèmes de toxicité et qu'au mieux, il ne permet qu'un soulagement à court terme. Puisqu'il n'atteint pas toujours le candida profondément ancré, il y a des possibilités que la maladie revienne aussitôt que la médication est arrêtée.

Plusieurs thérapeutes naturistes croient que le nystatin est inutile, parce que d'autres antifongiques feront le travail aussi efficacement. Ils avancent que la raison pour laquelle le nystatin est suffisamment sûr, c'est qu'il n'est pas bien absorbé. Il a peu de pouvoir de pénétration, doit être administré pendant des mois, et même ainsi, peut ne pas enrayer totalement le candida. Comme pour les antibiotiques, on craint le développement de souches résistantes au médicament. Certaines recherches semblent avoir trouvé que l'emploi prolongé du nystatin encourage le remplacement du *candida albicans* par une autre variété de candida, le *tropicalis*, qui résiste très bien, semble-t-il, au traitement.

Le naturopathe Leon Chaitow qui, en 1985, fut le premier à prévenir les Britanniques de cet invité non attendu dans leur intestin, mentionne dans la dernière édition de son livre *Candida albicans* que le nystatin est lui-même formé de levure. Il dit:

«La recherche faite à la Washington University School of Medicine montre que, finalement, après une période de traitement et lorsque le nystatin est arrêté, il en résulte souvent plus de colonies de levure que celles qui s'y trouvaient avant.»

D'autres médicaments antifongiques, les préparations azoles comme le sporanox et le diflucan, peuvent être plus efficaces parce qu'ils sont bien absorbés dans l'intestin et vont dans le sang, mais à cause de ceci ils sont associés à un léger risque d'effets secondaires importants, comme le dommage au foie. Certains praticiens les emploieront en dernier ressort tout en vérifiant les fonctions du foie par des tests; d'autres disent qu'ils ne sont pas nécessaires. Il semble qu'il n'y a rien que ces médicaments puissent faire qui ne peut pas être réalisé aussi efficacement au moyen d'antifongiques naturels faisant partie d'un plan de guérison holistique coordonné.

La plus importante chose dont il faut vous rappeler est de choisir un traitement avec lequel vous êtes en accord. À cause des aspects désagréables de la médication antifongique conventionnelle, il est probablement bien de limiter son utilisation à l'essentiel d'un traitement de première ligne. L'utilisation à long terme peut avoir une efficacité limitée contre le candida profondément ancré, avec le risque d'effets secondaires.

Le nystatin semble être l'option la moins pire mais il présente les mêmes désavantages que les autres médicaments. En le donnant sur une courte période pendant les premières étapes de la surcroissance du candida, il peut contribuer à contenir sa croissance. Mais si le candida a eu le temps de s'établir et de bien s'implanter, le nystatin peut simplement agir en surface, laissant les racines du problème intactes.

Lorsque vient le temps de prendre des antibiotiques, pensez-y à deux fois avant de le faire. Discutez-en avec votre médecin régulier; la majorité des praticiens sont au courant des problèmes causés par l'emploi excessif des antibiotiques et vous indiqueront si votre problème immédiat est suffisamment sérieux pour justifier un traitement. Si vous choisissez de ne pas prendre d'antibiotiques, il y a suffisamment d'alternatives naturelles, dont on parlera plus loin dans ce livre, qui non seulement agiront contre les bactéries, mais aideront également votre système immunitaire. Plusieurs praticiens, y compris les thérapeutes naturistes les plus convaincus, sont d'accord pour dire que parfois les antibiotiques sont non seulement essentiels, mais qu'ils peuvent sauver la vie; donc si vous devez en prendre, vous pouvez vous assurer qu'ils n'endommageront pas votre santé à long terme en restaurant votre flore intestinale avec de bonnes bactéries durant et surtout après le traitement aux antibiotiques.

J'espère qu'en lisant ce livre vous aurez le goût de vous renseigner sur un programme holistique complet. Le protocole de traitement le plus complet préparé pour la surcroissance du candida est basé sur une approche en quatre temps concernant la diète et la nutrition que nous étudierons dans le prochain chapitre.

CHAPITRE 5

Comment vous aider vous-même

La clé de voûte d'une thérapie complète s'attaquant à la croissance chronique du candida est le changement de diète et les suppléments nutritionnels. Ce n'est pas une solution rapide et facile: vous aurez besoin de soutien, que ce soit de la part d'un praticien expérimenté, de votre famille, d'un groupe d'aide aux malades du candida ou une combinaison des trois. En vous servant de cette tactique, vous attaquez le problème sur différents fronts en même temps dans le but de ne pas seulement traiter les symptômes, mais de changer l'écologie de votre corps, afin qu'à long terme le candida cesse d'être un problème. Pour accomplir ceci, le traitement proposé est à quatre volets: une diète anti-candida, des agents antifongiques, des probiotiques et des suppléments pour guérir l'intestin.

Une diète anti-candida

La diète exige d'éliminer le sucre, les hydrates de carbone raffinés et les sources de levure dans les aliments pour couper l'approvisionnement en énergie au candida et arrêter les réactions exagérées du système immunitaire. C'est une partie essentielle du programme anti-candida. Les auteurs et

chercheurs Gill Jacobs et Jane McWhirter estiment
que la diète est la chose qui peut rendre tout le
monde dépendant. Il semble que c'est parce que le
candida s'épanouit à partir des aliments qui se trouvent dans la diète habituelle des individus vivant au
sein des pays développés. Celle-ci comprend le pain,
sur une base quotidienne. Or, le pain est doublement
remis en cause dans une diète anti-candida parce que
le blé entier contient du gluten, lequel semble causer
des problèmes digestifs qui endommagent l'intestin
de plusieurs personnes et contient en outre de la
levure, un autre ingrédient à éviter. Mais tout n'est
pas négatif. Vous découvrirez beaucoup de nouveaux
aliments, vous deviendrez sûrement un habitué du
magasin de produits naturels plutôt que du super-
marché et vous mettrez plus d'importance sur les
aliments frais, bénéfiques à votre santé, comme les
légumes non préparés.

L'autre bonne nouvelle est qu'une diète
rigoureuse ne dure pas toute la vie. Il est impossible
de dire pendant combien de temps vous devrez la
suivre; ce sera probablement entre six et 24 mois,
aussi longtemps que vous suivez le reste du
programme anti-candida. La durée du programme
dépendra de votre réaction au traitement et de la
rapidité de la guérison. Cependant, aussitôt que vous
sentez que le candida commence à être sous contrôle
et que certains symptômes s'estompent, vous pouvez
relâcher légèrement la diète et prendre de temps à
autre un peu d'aliments défendus. Lorsque la
guérison sera complète, si vous voulez reprendre
certains de vos aliments favoris mais craignez qu'ils
réactivent le candida, prenez-les frugalement, de
préférence en rotation (*voir* l'encadré aux pages
73-75).

Vous devriez manger plus de:

- **Légumes frais non modifiés**. Cuisez peu les légumes, préparez-les de préférence à la vapeur et, si votre estomac le supporte, mangez-en la moitié crue. Évitez les champignons, puisqu'ils sont des fongus et que plusieurs personnes atteintes de candida ne les tolèrent pas (ils sont aussi une source de moisissure); les pommes de terre peuvent aussi causer des problèmes chez certaines personnes, à cause des moisissures.

- **Grains entiers**. Le millet et le riz brun sont les favoris. Le quinoa et le sarrazin peuvent aussi être bien tolérés. D'autres grains, comme le blé, l'avoine, le seigle et l'orge, contiennent du gluten qui peut causer des problèmes. La plupart des gens considèrent que le blé leur donne le plus de problèmes, mais ils peuvent prendre un peu de seigle et d'orge, parfois de l'avoine. Le maïs ne contient pas de gluten, il n'est pas reconnu comme produisant des allergies et des intolérances, mais on l'évite à cause de son contenu élevé en moisissure. Plutôt que de prendre du pain régulier, il existe des alternatives libres de levure comme le pain au bicarbonate de soude, les pains aux germes et plusieurs pains particuliers comme le pain de seigle à la pâte sure, les biscottes de seigle ou le pain fait de farine d'épeautre organique, une ancienne variété de blé utilisée au temps des Romains et mieux tolérée.

- **Fèves et légumes à gousses**. Les fèves, les lentilles, les pois et les légumes à gousses sont d'excellents aliments, mais probablement pas de la façon dont la plupart des personnes les utilisent: cuits, modifiés, bourrés de sucre et déformés dans des sauces contenant du blé ou sortant directement de la boîte. Il y a une intéressante variété de ces aliments disponibles dans les magasins d'aliments naturels et on y trouve aussi beaucoup d'idées pour leur cuisson. Cherchez les fèves pinto, plusieurs variétés de lentilles et les pois cassés.

- **Noix et graines**. Une fois de plus, achetez ces aliments frais, crus et non transformés. Les arachides et à un degré moindre les noisettes sont des allergènes. Achetez les noix et graines dans un magasin qui renouvelle ses approvisionnements régulièrement afin d'éviter les moisissures et les noix dont les huiles naturelles seraient oxydées par un long entreposage.

- **Viande, volaille et poisson**. La combinaison des graines et des légumes à gousses vous procurera la ration de protéines nécessaires. Cependant, si vous croyez avoir besoin de plus de protéines, vous pourrez trouver difficile de vous priver d'aliments carnés. Indépendamment de vos convictions sur le bien-être des animaux, votre diète contre le candida constitue une raison de plus d'éviter les viandes provenant des élevages industriels puisque vous voulez éviter les résidus de produits chimiques agricoles comme les antibiotiques souvent utilisés par les éleveurs. Choisissez alors de la viande et de la volaille produites organiquement. Les poissons comme le saumon, le maquereau, le hareng, la truite, la sardine et le thon sont de bonnes sources d'acides gras essentiels et de protéines.

- **Oeufs**. Si vous les tolérez, ils devraient provenir de petits élevages.

• **Fruits**. Évitez les fruits si votre candidose est grave, car ils contiennent trop de sucre, même si c'est naturel! Les recommandations des praticiens varient beaucoup et la prescription exacte doit être ajustée à l'individu. Si votre maladie est modérée vous pouvez vous en tirer avec un ou deux fruits par jour, car ces aliments crus bourrés de nutriments bénéfiques à votre santé valent le risque de les inclure dans votre diète. Commencez en enlevant complètement les fruits de votre alimentation, puis réintroduisez-les progressivement. C'est par essai et erreur que vous saurez si une ration quotidienne de fruits stimule votre candida ou si elle s'intègre bien à votre traitement. Si vous choisissez des fruits, il y a certaines règles à suivre: évitez les melons à cause de leur contenu en moisissures; abandonnez les fruits secs comme les figues, les dattes et les raisins, à cause de la possibilité de moisissures, mais aussi parce qu'ils contiennent du sucre en doses concentrées. Autre mise en garde: plusieurs personnes préfèrent ne pas mêler les fruits avec d'autres aliments à cause des problèmes digestifs provoqués par un intestin qui coule. La théorie veut que le mélange rende la digestion plus difficile et stimule la fermentation dans l'intestin, produisant le ballonnement et l'inconfort, pendant que le candida se régale des sucres non digérés. Il est préférable de manger les fruits avant le repas, seuls, car ils passent rapidement à travers l'intestin grêle.

Les aliments à éviter comprennent:

- **Levures**. Ceci signifie éliminer le pain, la pizza et les tartinades assaisonnées.
- **Sucres**. Évitez les douceurs, les gâteaux, les biscuits, les pâtisseries, les aliments en conserve, tout ce qui a du sucrose ajouté, le fructose, le glucose, le dextrose, le lactose (ceci signifie le lait), le miel, la mélasse, le sirop d'érable. Les levures adorent le sucre; vos bonnes bactéries et votre système immunitaire ne l'aiment pas.
- **Hydrates de carbone raffinés**. Ces produits sont habituellement faits à partir de grains entiers, lesquels ont perdu, dans le procédé de raffinement, les vitamines B nécessaires à leur conversion en énergie et leur enveloppe de fibre naturelle qui normalement contribue à faire digérer le sucre et à le faire absorber lentement, sans causer de grandes fluctuations dans le sang. Ces hydrates de carbone raffinés et les amidons sont à la base de plusieurs aliments modifiés et de nourriture-minute. Ceci veut dire éviter le riz blanc ou les pâtes et vérifier les étiquettes indiquant le contenu en amidon modifié.
- **Jus de fruits et fruits séchés**. Ceux-ci contiennent beaucoup trop de sucre de fruit (fructose) et de moisissures.
- **Moisissures et fongus**. Éliminez les champignons, les melons, les fromages bleus et les olives noires; méfiez-vous des noix, surtout des arachides.
- **Alcool**. L'alcool est non seulement en lui-même une allergie (le Dr James Braly le décrit comme «une combinaison de substances en solution

hautement allergènes»), mais il présente d'autres problèmes. Le Dr Braly explique:

Même en quantité modérée, l'alcool…conduit à un intestin qui coule, il augmente la perméabilité de la muqueuse de l'intestin grêle, permettant une absorption plus importante de molécules de nourriture partiellement digérées (et peut-être de micro-organismes, d'entérotoxines et de médicaments) qui normalement auraient été rejetées.

Lorsque ces molécules entrent dans le système sanguin, elles se combinent aux marqueurs du système immunitaire pour former des complexes immunitaires, impliqués dans les réactions allergiques et inflammatoires. Le candida produit sa propre version «crue» d'alcool, la toxine aldéhyde, un fait qui a été utilisé avec succès dans une défense juridique dans un cas de conduite en état d'ivresse. Une étude publiée dans le *New England Society of Allergy Proceedings* va en se sens et montre que l'alcool peut stimuler l'absorption d'allergènes dans le système. Rappelez-vous que la bière et le vin sont fermentés avec des levures à éviter et peuvent être riches en sucre.

Allergies et intolérances alimentaires

Une autre étape importante dans l'établissement d'une diète est de trouver et d'enlever les aliments auxquels vous êtes allergique ou qui provoquent une intolérance, ce qui pourrait ajouter des toxines à celles que vous avez déjà et provoquer une réaction immunitaire. Ces aliments sont souvent ceux que nous mangeons chaque jour. La plupart d'entre nous mangeons la même petite variété d'aliments jour après jour et ceci pourrait être un facteur majeur des intolérances alimentaires. Les chimpanzés, nos parents les plus rapprochés génétiquement, continuent à se nourrir d'une diète naturelle et mangent environ 40 à 60 variétés différentes d'aliments par mois, ce qui constitue une moyenne de 13 aliments différents par jour: peut-être pourrions-nous apprendre d'eux!

Il n'est pas nécessaire de remuer ciel et terre pour trouver les aliments qui vous sont contraires, parce que lorsque votre intestin sera guéri, ces réactions devraient arrêter. Cependant, il peut être bon d'éviter ou de diminuer les aliments qui causent le plus souvent des problèmes. À partir des milliers de tests d'allergies, le Dr Jim Braly a tiré une liste des aliments qui reviennent le plus souvent:

- maïs
- seigle
- oeufs
- fruits citrins (oranges)
- pommes de terre blanches
- arachides
- levure
- lait et produits laitiers
- fèves soya
- chocolat
- boeuf
- blé
- fromage
- café
- tomate
- malt
- porc

S'il se trouve dans cette liste des aliments dont vous ne pouvez pas vous passer, mangez-en moins fréquemment. Une façon de faire qui remporte du succès consiste à contrôler et à prévenir les allergies ou les intolérances par le biais d'une diète en rotation: vous alternez les aliments afin de les prendre seulement une fois aux quatre jours. Si vous faites la rotation du fromage, et que vous en mangez par exemple le lundi, vous ne devrez pas en manger à nouveau avant le vendredi.

Agents antifongiques

Ils visent directement le candida et réduisent de beaucoup sa croissance ou bloquent son passage de levure à fongus.

Vous devriez employer les antifongiques naturels suggérés ici comme faisant partie d'un programme complet. La diète et les antifongiques seuls peuvent donner de piètres résultats à long terme, puisqu'ils ne corrigent pas les problèmes de fond qui permettent au candida de se multiplier.

Après avoir utilisé des antifongiques contre le candida, si vous avez une réaction où vous vous sentez faner, soit une impression pire qu'auparavant, c'est que vous ressentez alors les effets des toxines relâchées par le candida qui meurt (*voir* l'encadré en page 83). Il s'agit d'un signe d'amélioration utilisé par plusieurs praticiens en l'absence du test pour confirmer la présence de candida, afin de s'assurer que ce dernier était bel et bien le problème sous-jacent.

Vous devrez faire des mélanges et des combinaisons pour trouver les préparations qui réussissent le mieux dans votre cas. Celles indiquées ci-dessous sont les plus recommandées. Il y a peu de preuves cliniques pour confirmer leur efficacité, mais elles émergent comme étant les meilleurs remèdes d'après les rapports des praticiens et des patients qui les ont employées avec succès et, dans bien des cas, selon des tests complets en laboratoire.

Les chercheurs ont trouvé deux bénéfices importants résultant de l'usage des préparations naturelles. Premièrement, les bactéries visées, les virus ou le candida, ont peu de chance de développer une résistance à leur endroit. Les médicaments antibiotiques sont des composés chimiques uniques, relativement simples, et c'est la raison pour laquelle les bactéries s'y adaptent si rapidement. À l'opposé, les huiles naturelles contiennent plusieurs composés différents et les micro-organismes ne peuvent pas s'adapter à chacun d'entre eux. Deuxièmement, ils n'ont pas le même effet négatif que les antibiotiques sur les bonnes bactéries nécessaires à notre santé.

Les scientifiques de Wolverhampton University, en suivant ce raisonnement, ont peut-être réalisé une percée avec le test d'un produit commercial appelé candicidin, qui est une combinaison d'extraits d'origan, de clou et de gingembre avec de l'armoise et de l'huile de graines de bourrache. Ces experts furent les premiers à redécouvrir la grande efficacité de l'huile d'ail concentré contre les bactéries. L'ail frais était utilisé par les Égyptiens et recommandé par Hippocrate un siècle avant J.-C. pour traiter les infections; depuis, plusieurs préparations d'ail furent cliniquement testées, mais ce nouvel extrait, le candicidin, est particulièrement concentré: 1 cuillerée à thé équivaut à 1 kg de gousses d'ail frais! À ce jour, il a inhibé chaque bactérie contre laquelle il a été testé. Le travail de cette équipe, dirigée par le Dr Hill, a aussi montré que les microbes qui peuvent causer la maladie semblent naturellement plus sensibles à l'huile d'ail qu'aux bonnes bactéries.

La liste qui suit indique les meilleurs antifongiques naturels:

- **Ail**. Il est le plus simple et selon certains, le meilleur; mangez-le cru. Si vous n'en aimez pas le goût, prenez-le avec de petits clous de girofle et avalez-les entiers. Les préparations commerciales de l'ail sont également efficaces. L'ail agit contre les bactéries, les virus et le candida dans ses formes de levure et de fongus.

- **Candicidin**. C'est une combinaison d'huiles de plantes antifongiques et antiparasitiques combinées à des acides gras essentiels qui contribue à guérir l'intestin et à aider la croissance des bonnes bactéries. Il contient des extraits d'origan, de clou, d'armoise et de gingembre, ainsi que de l'huile de graines de bourrache dans une base d'huile de graines de raisins et d'acide laurique, un acide gras provenant de la noix de cocotier. Ce produit anti-candida relativement nouveau est très efficace mais aussi plus doux, dans son action, que l'acide caprylique (*voir plus bas*), parce qu'il prend la voie du système sanguin. Les chercheurs de Wolverhampton University ont testé le candicidin contre le *candida albicans* et quatre autres des souches les plus virulentes du candida; les résultats ont dépassé les autres antifongiques. Le candicidin est un bon antifongique de départ. Si nécessaire, vous pouvez passer ensuite à l'acide caprylique.

- **Acide caprylique**. Avant la venue du candicidin, c'était l'antilevure et l'antifongique naturel incontesté, au faîte des médicaments en vente libre. Il vient en trois forces différentes pour vous permettre de minimiser l'effet de vous sentir faner. Cette réaction se produira disent ses utilisateurs. L'acide caprylique est un acide gras présent dans la noix de cocotier et dans le lait humain.

- **Huile d'olive**. L'huile d'olive n'est pas exactement un antifongique, mais elle contient de l'acide oléique qui peut aider à arrêter la transition du candida de levure à fongus. Elle doit être pressée à froid et de qualité extra vierge.

- **Biotine**. Une vitamine B qui contribue aussi à arrêter le candida dans son changement de forme, la biotine, devrait être produite par les bonnes bactéries. C'est la façon qu'avait la nature de s'assurer que même si l'absorption par la diète n'est pas fiable (la biotine est soluble à l'eau et se perd facilement à la cuisson), vous en aurez toujours suffisamment. Mais vinrent les antibiotiques avec leurs propriétés destructrices.

- **Berbérine**. Elle est une tueuse naturelle de microbes, active contre un large éventail de bactéries, de parasites et de fongus, y compris le candida, qui causent des maladies. Elle est devenue un remède habituel pour plusieurs médecins naturopathes traitant les surcroissances de candida et elle soulage aussi de la diarrhée. Elle aide le système immunitaire et le foie. La berbérine se retrouve à l'état naturel dans des plantes comme l'hydrastis (*hydrastis canadensis*) et l'épine-vinette (*bergeris vulgaris*).

- **Jus d'aloès**. Cette préparation possède, selon la publicité, des vertus universelles. Le docteur Jeff Bland, réputé biochimiste en nutrition et autorité en la matière, assure que c'est un antifongique utile qui contribue à restaurer un équilibre bactérien sain. Sachez cependant que ce ne sont pas tous les jus d'aloès qui sont de qualité. Certains ont perdu des éléments essentiels durant la transformation et d'autres ont été sucrés.

- **Extrait de graines de pamplemousses**. Selon la rumeur, l'extrait de graines de pamplemousses tuerait tous les germes connus et un peu plus. Ne croyez pas tout ce qu'on en dit, cependant, parce que la majorité de la recherche qui entérine ces dires s'applique à l'antimicrobien pharmaceutique de Ciba-Geigy, le triclosan. Or, bien que très sécuritaire à prendre, il n'a pas encore été approuvé en utilisation orale, à moins que ce soit en quantité minuscule (on le retrouve dans certaines pâtes à dents et aussi dans les shampooings). Ceci dit, pour plusieurs personnes, les extraits de graines de pamplemousses sont une partie importante de leur régime anti-candida. En fait, les plantes amères ont depuis longtemps été utilisées dans la médecine chinoise traditionnelle pour leur effet antifongique et certains praticiens croient même qu'elles sont aussi efficaces que le nystatin ou l'acide caprylique. On dit qu'elles détruisent le candida et d'autres parasites sans nuire aux bonnes bactéries, mais il n'y a pas de preuves sérieuses pour entériner ceci. L'extrait de graines de pamplemousses est disponible sous forme liquide ou en poudre dans une capsule; il est offert en doses de forces différentes. Vous devrez expérimenter afin de trouver la dose qui vous convient puisqu'il n'y a pas d'extrait standardisé.

- **Pau d'arco**. Cette herbe d'Amérique du Sud, connue aussi comme étant le taheebo, est habituellement prise en tisane. On dit qu'elle est très efficace contre le candida, mais la recherche sur ses effets est faible. Comme le dit le Dr Crook:

> Durant la dernière décennie j'ai reçu continuellement des rapports décrivant la valeur de cette tisane (faisant partie du programme de contrôle de levure) même si les mécanismes pouvant expliquer ces bénéfices n'ont pas été analysés.

D'autres remèdes à essayer sont:

- la racine de gingembre (en tisane ou tranches crues)
- le rutabaga (un genre de navet qui peut être mangé cru ou cuit).
- le raifort
- la tisane de mathake
- le Tanalbit ou Tanicidin (fournit l'acide tannique).

Selon le Dr Robert Cathcart, une sommité mondiale dans l'emploi clinique de fortes doses de vitamine C, les antifongiques peuvent mieux agir s'ils sont pris avec cette vitamine parce qu'alors ils peuvent pénétrer plus efficacement les tissus. La vitamine C est peut être la plus importante des vitamines que nous puissions prendre: elle est impliquée dans plus de 300 fonctions physiologiques connues, mais contrairement aux autres mammifères, nous ne pouvons la produire nous-mêmes. Elle est très

Leon Chaitow: point de mire sur le système immunitaire

Le consultant naturopathe Leon Chaitow, professeur sénior à Westminster University et auteur du premier volume sur le candida au Royaume-Uni, *Candida Albicans*, croit que les médicaments antifongiques de prescription comme le nystatin ne peuvent faire rien de mieux que les antifongiques naturels. Il recommande de se servir d'agents antibactériens herbacés en conjonction avec les probiotiques pour centrer l'effort sur le système immunitaire afin de l'aider à retrouver sa capacité d'agir. Il dit:

> Un des véritables problèmes des grosses bactéries est leur interaction avec d'autres facteurs comme le candida. Une personne dont l'immunité est compromise par le candida et qui attrape une de ces grosses bactéries peut se retrouver en choc toxique ou victime d'un autre problème appelé syndrome de la peau échaudée.

La théorie veut que si le candida est traité, de sorte que ses toxines supprimant l'immunité et modifiant le métabolisme soient arrêtées, le système immunitaire a de meilleures chances de rejeter les autres infections, même sans antibiotique.

Leon Chaitow, probablement le seul naturopathe à travailler au Britain's National Health Service, se sert d'une combinaison herbacée qui aide le système immunitaire naturellement antiviral, soit un mélange d'échinacée avec de l'hydrastis et de l'épine-vinette comme source d'un composé anti-candida; ce dernier est secondé par des doses de Replete, un supplément bactérien probiotique spécial conçu pour aider à

recoloniser rapidement l'intestin par de bonnes
bactéries. Il dit:

> Les probiotiques ont leur propre effet antibiotique en
> plus de participer au processus de désintoxication. Des
> traitements naturels comme ceux-ci nous donnent des
> espoirs qui sont préférables à l'inaction, ce qui semble
> être la voie où s'achemine la thérapie à base de médica-
> ments, à mesure que les grosses bactéries deviennent
> plus fortes.

importante dans la neutralisation des toxines et lors
de maladie ou de stress, les demandes du corps en
vitamine C augmentent considérablement.

Le Dr Cathcart a traité quelque 9 000 patients par
des doses massives de vitamine C durant les dix
dernières années; dans certains cas graves de
surcroissance de candida, il donna des doses allant de
15 g à 200 g à des patients qui supportaient bien
l'acide ascorbique (nom chimique de la vitamine C).
Il n'est pas nécessaire d'aller si loin. Il recommande
de trouver la dose appropriée, laquelle varie tout le
temps, en vous bourrant de vitamine C jusqu'à ce que
vous sentiez le besoin d'évacuer. Ce test d'endurance
de l'intestin montre que vous êtes maintenant saturé
d'acide ascorbique et que vous pouvez cesser d'en
prendre. La façon la moins coûteuse de prendre de
grandes quantités de vitamine C est sous forme de
poudre. L'acide ascorbique «cru» peut être trop difficile à absorber par des estomacs sensibles; si c'est le
cas cherchez-la sous forme d'ascorbate enrobée.

Probiotiques

Ceci comprend l'emploi de suppléments conçus à
partir des bonnes bactéries *lactobacillus* et *bifidus*

La réaction redoutée: se sentir faner

Les antifongiques naturels et prescrits amènent une réaction redoutée, celle de se sentir faner. Connue aussi sous le nom de réaction d'Herxheimer, elle n'est pas un effet secondaire des antifongiques, mais le résultat de toxines et de déchets qui sont relâchés lorsque les organismes du candida sont détruits.

Lorsque certains de ces antifongiques sont efficaces, ils le sont rapidement. Les toxines doivent être absorbées, neutralisées et éliminées. Pendant que cette action se poursuit, vous pourrez vous sentir fatigué et nauséeux, avoir des maux de tête ou ressentir ce qui semble être, une aggravation de votre cas. Ceci devrait être temporaire et vous finirez par vous sentir mieux. Cette réaction est un signe certain que vous avez le candida et qu'il a été repéré.

À cause de l'augmentation rapide du poids toxique, il est important d'aider votre foie par des suppléments nutritionnels ou à base de plantes. L'opinion commune est que cette réaction de se sentir faner, bien qu'elle doive se produire, peut être atténuée en commençant graduellement le régime anti-candida. Commencez à éliminer le sucre tout en ajoutant des suppléments probiotiques (*voir plus bas*) pendant les deux premières semaines. Ensuite, réduisez les hydrates de carbone. Lorsque vous ajoutez les antifongiques, allez-y par petites doses et augmentez-les. Certains produits sont offerts en forces différentes pour faciliter le dosage.

qui vivent dans l'intestin et arrêtent la surcroissance du candida mais qui sont détruites par une thérapie aux antibiotiques.

Les probiotiques sont vitaux dans la prévention et le traitement du candida. Vous devez recoloniser votre intestin avec des bactéries bénéfiques, autrement vous ne pourrez jamais rétablir l'équilibre du candida. Les bactéries de l'acide lactique, qui dominent normalement dans un intestin sain, aident aussi votre digestion et, croient certains chercheurs, peuvent aussi renforcer le système immunitaire.

Le microbiologiste Nigel Plummer affirme:

> La flore normale de l'intestin est connue pour son rôle important dans la prévention des infections. Mais les antibiotiques peuvent avoir un effet dévastateur sur elle, l'éliminant parfois complètement. Les probiotiques peuvent avoir une grande importance en restaurant la flore normale.

Les tests ont prouvé que lorsque les bonnes bactéries sont en place, il faut un million d'orga-

---

Probiotiques: les découvertes de la recherche

Le monde médical a finalement appuyé l'emploi des probiotiques après la publication de l'analyse de toute la littérature scientifique faite par des chercheurs de Washington University, School of Medicine à Seattle, laquelle à été publiée dans le *Journal of the American Medical Association* en 1996. Ils concluent:

> Il existe maintenant des preuves que l'administration de micro-organismes choisis est bénéfique dans la prévention et le traitement de certaines infections intestinales et possiblement vaginales. Dans un effort pour diminuer la dépendance aux antimicrobiens, le temps est venu d'étudier soigneusement les applications thérapeutiques des agents biothérapeutiques.

nismes de la salmonelle pour causer la maladie. Quand elles ne sont pas là, il en faut seulement dix.

Les bactéries de l'acide lactique, dans l'intestin grêle en particulier, contribuent à la santé, mais elles sont aussi les plus vulnérables aux antibiotiques. Les scientifiques d'une compagnie britannique développèrent Replete, un programme de remplacement microbien destiné à refaire la population du petit intestin. Chaque dose de Replete procure 30 milliards d'organismes vivants de trois bactéries d'acide lactique: le *lactobacillus acidophilus*, le *bifidus bacterium* et le *lactobacillus casei*, ainsi que des prébiotiques, soit des substances qui sont nécessaires à ces bactéries pour s'épanouir.

Trois différentes souches sont employées parce qu'elles habitent normalement des régions différentes de l'intestin grêle; prises comme suppléments, elles s'attachent à différents endroits sur la paroi intestinale de façon à ce qu'il n'y ait aucune niche écologique libre pour que le candida s'y loge. Les prébiotiques sont de fortes concentrations de fructo-oligo-saccharides spécifiques, des types de sucres se manifestant naturellement, trouvés dans les plantes; les bactéries de l'acide lactique en raffolent mais ces sucres ne peuvent pas être utilisés par les organismes déclenchant des maladies.

Replete est un supplément un peu coûteux qui, à court terme, contribue à rétablir la flore de l'intestin grêle. Plusieurs praticiens le recommandent au début d'un traitement anti-candida. Ensuite, le traitement continuera avec des produits probiotiques réguliers: les suppléments quotidiens d'*acidophilus*, la bactérie la plus importante de l'intestin grêle, et aussi la bactérie *bifidus*, qui rétablira l'équilibre dans le gros intestin.

Soyez conscient que tous les suppléments probiotiques ne valent pas la peine d'être pris. Certains contiennent très peu de bactéries viables, quoi qu'en disent les fabricants. Plusieurs d'entre eux semblent ne pas comprendre qu'ils ont affaire à des organismes vivants qui sont fragiles en dehors de leur environnement normal et qu'un grand nombre ne peut pas résister aux techniques standards employées pour produire et entreposer des vitamines et des minéraux en pilules et en capsules. Elles doivent être séchées à froid au début du processus, sinon elles seront instables. Les bactéries sont également capricieuses à propos des autres organismes avec lesquels elles cohabitent et les mêler avec du remplissage ou des plantes ou même avec d'autres bonnes bactéries ne fonctionne pas toujours. De plus, à moins que les bactéries employées soient de la bonne souche, la meilleure étant la souche humaine, elles ne survivront pas en grand nombre lorsqu'introduites dans le système digestif. Finalement, les bactéries probiotiques ont besoin d'être protégées de l'humidité, de la chaleur et de la lumière; elles devraient être entreposées au réfrigérateur, au magasin ou à la maison.

Les effets des suppléments avec les bons probiotiques sont parfois spectaculaires, même sans régime ni agents antifongiques. Des études faites par les scientifiques de Harvard au Boston City Hospital et publiées dans *Lancet* montrent que lorsque l'on donne aux alcooliques ayant de gros problèmes de foie, des suppléments de *lactobacillus acidophilus*, leur statut clinique et leur confusion mentale s'améliorent remarquablement.

Le yogourt contribue à remettre de bonnes bactéries dans l'intestin. Ce ne sont pas toutes les sortes de yogourt qui peuvent le faire. Lorsque j'étais éditeur du magazine *Here's Health* j'ai fait une enquête auprès de tous les fabricants de yogourt, leur demandant de me dire quels organismes ils y mettaient. Un bon nombre ne le révélèrent pas. Certains y mettaient des organismes qui n'étaient pas loin de la moisissure visqueuse. Très peu employaient des bactéries *acidophilus* et *bifidus* en quantité suffisante.

Une étude de six mois publiée dans les *Annals of Internal Medicine* montra que les femmes aux prises avec des infections de candida à répétition avaient trois fois moins d'infections si elles consommaient du yogourt contenant du *lactobacillus acidophilus* chaque jour. Il semble que ce soit efficace contre les symptômes immédiats si le yogourt est appliqué directement dans le vagin. Ceci signifie que le yogourt peut aider, mais il ne guérira pas. Pour recoloniser l'intestin vous avez besoin de milliards de la bonne sorte de bactéries actives et les suppléments sont la façon de les obtenir. Le yogourt est une option, si les produits laitiers vous conviennent, mais assurez-vous que ce soit une variété naturelle et vivante, sans sucre ajouté.

On favorise le yogourt parce qu'il se digère mieux, en principe, que le lait et le fromage. Cependant, rappelez-vous que les produits laitiers de quelque type qu'ils soient sont un autre ajout relativement récent dans notre régime et plusieurs personnes ne peuvent les digérer. Il y a aussi le problème du lactose, le sucre dans le lait, qui nourrit le candida. Il n'est pas fortuit que nos bonnes bactéries, normales et utiles, les *lacto-*

Étude de cas: Anne

Anne, 34 ans, est agente de relations publiques pour un organisme national de charité. Elle dit avoir vaincu à 95 pour cent le candida en faisant une diète, en prenant des suppléments et en changeant son rythme ainsi que son style de vie. Elle commença à se sentir malade il y a environ cinq ans. Elle avait des symptômes ressemblant à la grippe, des ulcères à la bouche et se sentait épuisée. Puis, elle déménagea et commença un nouvel emploi. En moins de neuf mois, elle était au lit avec une infection virale dont elle ne s'est jamais complètement remise.

On diagnostiqua une allergie aux produits laitiers, qu'elle enleva de sa diète. En moins de quatre mois «j'avais eu le syndrome de fatigue post-virale sans l'avoir, j'étais paralysée par la fatigue. J'allais au travail parce qu'il le fallait, ensuite je me traînais à la maison et passais la nuit étendue sur le divan. J'avais beaucoup de douleurs aux articulations et mon cerveau était embrumé. J'avais l'impression d'avoir du coton dans les veines plutôt que du sang. C'était terrifiant, parce que je ne savais pas ce qui ne tournait pas rond.»

Après quatre mois, le diagnostic confirma qu'elle avait le candida «et tout tomba en place, tous les symptômes que j'avais.»

Son thérapeute en nutrition lui fit prendre Replete, le supplément bactérien intensif à court terme qui contribue à ramener les bonnes bactéries dans l'intestin; il lui donna une diète anti-candida et recommanda des suppléments. En plus de son régime sans sucre, sans levure et sans alcool, Anne évitait les produits laitiers et coupa le café. «En six semaines, je commençai à me sentir mieux. Alors que j'avais un léger embonpoint je perdis 3 kg!»

Elle va toujours bien et continue à suivre sa diète. Elle ne prend pas d'alcool, évite le pain à cause de la levure et le seul fruit qu'elle s'accorde de temps en temps est une banane. Elle prend parfois un mets sucré ou un biscuit. «Je suis plus souple avec ma diète que lorsque j'étais réellement malade», dit-elle. «Je continue à la suivre depuis bientôt deux ans et je ne vois pas le jour où je pourrai revenir aux mets sucrés, aux levures et à l'alcool. J'ai cette diète pour la vie et je continue à prendre des suppléments pour aider mon système immunitaire. C'est une diète saine qui ne fait pas de mal. On peut la garder à vie et elle m'aide à contrôler mon poids.»

Elle a diminué le nombre de suppléments. Elle prend maintenant un supplément d'*acidophilus* régulièrement, de l'huile d'onagre (qui diminue la tension prémenstruelle), de la vitamine C et du calcium pour compenser l'absence de produits laitiers. Elle prend un traitement d'une semaine de Replete si elle se sent particulièrement fatiguée sans raison ou qu'elle commence à avoir mal. «Parfois, si je me surmène, j'ai l'impression que mon système immunitaire cesse de bien fonctionner et je suis alors terrassée par des microbes et des virus, je suis malade pendant quelques jours ou je me sens épuisée. Mais je crois que chacun se sent comme cela de temps à autre; ça n'a probablement rien à voir avec le candida maintenant.»

Elle croit que ses problèmes ont commencé à cause de sa diète déficiente. C'était simplement un régime de femme seule qui travaille, dit-elle: «Je ne cuisinais jamais. Je mangeais soit à l'extérieur ou je faisais réchauffer des plats surgelés. Je prenais des boissons sucrées et mangeais beaucoup de mauvais aliments.» En plus, elle prenait la pilule contraceptive depuis des années, un autre facteur de risque pour le candida. Elle vécut beaucoup de stress en commençant un nouvel emploi dans un nouvel endroit où elle n'avait pas d'amis et en retournant vivre chez ses parents.

Pour améliorer sa santé, elle a fait plus que de commencer un régime et prendre des suppléments. Elle suivit des séances d'aide pour comprendre les émotions qui l'assaillaient à cause de sa maladie et du manque de soutien et de compréhension de la part de ceux qui l'entouraient. Elle commença à se faire donner régulièrement des massages, fit du yoga, pris un cours de Technique Alexander, un système de rééducation posturale qui permet aux gens de se mouvoir de façon plus détendue et avec grâce. «J'ai changé mon style de vie et j'ai appris à être posée», dit-elle. «Je suis beaucoup plus en forme et je n'ai plus toutes les douleurs d'avant qui me donnaient l'impression d'avoir de l'arthrite aux mains. Je n'oublierai jamais cette sensation de fatigue profonde que je ressentais.

Fatigue n'est pas le mot adéquat. En conduisant vers la maison, assise dans l'auto je me demandais si je pourrais marcher de l'auto à la porte!»

bacillus acidophilus, produisent de la lactase, l'enzyme qui digère le lactose.

Guérir l'intestin

La dernière partie du protocole anti-candida consiste à guérir le dommage que le candida a causé à l'intestin. Vous devrez aussi commencer à corriger les légères déficiences nutritionnelles que vous pourriez avoir et prendre les moyens requis pour restaurer l'efficacité de votre digestion afin qu'il n'y ait pas de récidive. Plusieurs de ces nutriments auront aussi des effets positifs sur votre système immunitaire, ce qui permettra ensuite à vos défenses naturelles de se refaire après avoir été temporairement submergées par le candida et ses effets secondaires.

En suivant les recommandations diététiques ci-haut, vous aurez déjà éliminé plusieurs des aliments qui pourraient contribuer au problème en aggravant le dommage à votre intestin. Il y a des suppléments nutritionnels et botaniques qui peuvent contribuer à guérir le dommage, réduire l'inflammation, corriger les déficiences nutritionnelles et restaurer l'équilibre métabolique ainsi que l'efficacité digestive. Ceux marqués d'un astérisque sont fortement recommandés.

- **Glutamine***. Cet acide aminé est le premier nutriment pour les cellules de l'intestin, le principal nutriment permettant de réparer l'intestin et la plus importante source d'énergie du système immunitaire. Les cellules du système gastrointestinal se développent rapidement et on croyait jusqu'en 1970 qu'à l'instar des autres, elles fonctionnaient au glucose. Les chercheurs du National

Institutes of Mental Health aux États-Unis découvrirent toutefois que c'était la glutamine qui nourrissait ces cellules. Pendant la maladie ou lors de périodes stressantes, les besoins du corps en glutamine atteignent des niveaux que le régime ne peut pas satisfaire et ce besoin est tel que le corps se servira du tissu musculaire pour l'obtenir.

Selon le docteur Douglas Wilmore de la Harvard Medical School «Il y a si peu de glutamine dans les aliments qu'à peine la quantité nécessaire est présente même lorsque nous sommes en santé». Trois études séparées faites dans divers hôpitaux (à Harvard, en Allemagne et en Suède) ont montré que la perte musculaire, qui semble inévitable chez les patients qui subissent une chirurgie majeure, peut être évitée en ajoutant de la glutamine dans leur soluté. On croit qu'un niveau insuffisant de glutamine serait un facteur majeur dans le développement de l'intestin qui coule. En outre, elle a été employée, encore dans les hôpitaux, pour aider le foie à surmonter une surcharge toxique massive. En effet, la glutamine constitue le principal protecteur chimique du foie et elle est impliquée dans la production d'anti-oxidants puissants.

Nous manufacturons de la glutamine dans le corps à partir d'autres acides aminés, alors officiellement, elle n'est pas un acide aminé essentiel. Cependant, des sommités, comme le biochimiste nutritionniste Jeff Bland, ont élevé la glutamine, au rang «d'essentielle non essentielle». Ceci signifie que si vous voulez obtenir la meilleure chance de guérir d'un intestin qui coule et de vous remettre des ravages du candida, vous auriez avantage à prendre un supplément régulier de glutamine. Prise sous forme de poudre, elle est moins dispendieuse (comme 1-glutamine).

- **Fructo-oligo-saccharides** (FOS). Ils peuvent être contenus dans votre supplément probiotique, car ils comprennent les bactéries *bifidus* en particulier avec les facteurs de croissance dont elles ont besoin; entre autres choses, ils peuvent produire de l'acide butyrique (*voir plus bas*).
- **Acide butyrique***. C'est une autre source de nourriture appréciée par les cellules de l'intestin. Un supplément (en butyrate de sérine, en calcium ou en butyrate de magnésium) peut aider à stimuler le processus. Soyez prévenu que l'acide butyrique sent le vomi (de fait, c'est lui qui donne son arôme au vomi)!
- **Nacétyle glucosamine** (NAG). Ceci fait partie intégrale de la colle de collagène qui tient ensemble les muqueuses de revêtement tapissant l'intestin.
- **Magnésium et vitamine C**. Le magnésium, important pour la santé des cellules des muqueuses, et la vitamine C, vitale dans la guérison des membranes muqueuses et du tissu conjonctif, sont souvent regroupés en supplément comme ascorbate de magnésium, une forme de vitamine C enrobée et douce à l'estomac qui aide aussi le système immunitaire et les glandes surrénales, les glandes du stress.
- **Vitamine A**. Essentielle à la réparation des tissus de revêtement de l'intestin, la vitamine A est meilleure prise sous forme de bêta-carotène que le corps utilise pour fabriquer autant de vitamine A qu'il en a besoin, sans problèmes de toxicité.

Les personnes souffrant de candida ont peu de bêta-carotène.

- **Acides gras essentiels**. Les toxines, qu'elles soient produites par le candida, l'alcool, un déséquilibre dans les hydrates de carbone ou le ratio de protéines dans notre régime, interfèrent avec un des plus importants catalyseurs biologiques du corps, une enzyme qui contrôle la production d'une famille spéciale de messagers chimiques connus sous le nom d'eicosanoïdes, dont les membres les plus connus sont les prostaglandines. Ces messagers chimiques, semblables à des hormones, vont partout et font tout, y compris déclencher et arrêter les processus inflammatoires impliqués dans les allergies ou le dommage aux membranes de l'intestin. Ce dont il faut se rappeler à propos des eicosanoïdes est que le corps les produit à partir des acides gras essentiels, des matières premières aussi importantes à notre santé que les vitamines et les minéraux. Les acides gras essentiels, comme les autres nutriments vitaux, doivent se trouver dans notre diète; ils existent dans les gras de notre alimentation.

La plupart des gens ont bien assimilé le message selon lequel trop de gras saturé est une mauvaise chose. Mais nous sommes allés trop loin dans l'autre direction et nous remplissons nos assiettes de gras polyinsaturés très transformés. Nous n'absorbons pas suffisamment les acides gras essentiels, ceux dont nous avons besoin et qui appartiennent à la famille omega-3. On les retrouve en quantités significatives seulement dans les huiles pressées à froid de graines et de noix et dans certains types de poissons. Selon le Dr Donald Rudin (Harvard) les niveaux omega-3 ont baissé de 80 pourcent par comparaison aux diètes d'il y a 100 ans. Il a vu des résultats spectaculaires chez des patients à qui on a donné des suppléments de la bonne sorte d'huiles; une étude sur 44 patients témoins confirma sa théorie qu'une «nouvelle sorte d'épidémie de malnutrition moderne» est en cours.

La majorité des praticiens admettent que pour combattre le candida, de fortes doses de suppléments d'acides gras essentiels sont nécessaires, lesquels doivent être le moins transformés possible. Vous pouvez vous servir d'huile d'olive extra vierge pressée à froid ou de l'huile de lin fraîche, mais vous feriez bien de prendre des suppléments diététiques. Ce sont habituellement une combinaison d'huiles qui procurent un vaste éventail des acides gras dont vous avez besoin, à partir d'huiles de graines de lin, d'onagre, de bourrache et de poissons. L'huile de lin est la plus riche source d'omega-3. Le médecin naturopathe Michael Murray a étudié cette question et trouvé plus de 60 cas chez qui des suppléments d'acides gras ont apporté une amélioration. Il recommande de prendre une cuillerée à table d'huile de lin pressée à froid quotidiennement.

Aider le système immunitaire

Un changement de régime et l'ingestion des suppléments décrits permettront automatiquement à notre système immunitaire de retrouver son habileté à combattre le candida en se libérant de plusieurs des autres antinutriments et toxines contre lesquels il doit se battre. Parmi ceux-ci se trouvent des éléments chimiques pouvant être toxiques, libérés naturellement comme sous-produits de l'utilisation d'oxygène, mais pouvant être balayés par une classe importante de nutriments appelés anti-oxydants. Le changement de régime et l'apport de suppléments assurera la restauration du bon équilibre de bactéries dans l'intestin. Voici quelques autres nutriments que vous pouvez ajouter à la diète afin d'aider votre système immunitaire à retrouver sa forme.

- **Eleutherococcus senticosus**. Connu sous le nom de ginseng de Sibérie, cette plante n'est pas du ginseng mais possède des similarités avec ce qu'on appelle un adaptatif: elle aide le corps à s'adapter au stress. Un important corpus de recherches a prouvé ses effets bénéfiques sur le système immunitaire et elle a été employée par un large éventail de personnes allant des cosmonautes aux travailleurs d'usine en passant par les athlètes. Les essais montrent que cet anti-oxydant réduit les infections et stimule la convalescence. En Angleterre, il est devenu un nutriment régulier des athlètes du triathlon, pour qui les infections et les blessures causées par le stress de l'entraînement et de la compétition étaient monnaie courante.

- **Sélénium**. Cet oligo-élément est un anti-oxydant important qui peut améliorer les fonctions du système immunitaire comme la recherche l'a prouvé. Il ne se trouve plus dans le sol à cause des méthodes modernes de culture et, par conséquent, il est rarement présent dans les aliments.

- **Zinc**. C'est un autre minéral anti-oxydant qui aide le système immunitaire. La recherche montre que plusieurs personnes atteintes d'une surcroissance du candida ont une déficience en zinc.

- **Coenzyme Q10**. Appelée aussi ubiquinone, la coenzyme Q10 est devenue un des nutriments les plus étudiés. Son impact sur la prévention et le traitement des maladies cardiaques se reflète par des résultats étonnants en ce qui concerne le cancer du sein et les désordres du système immunitaire. Sa valeur thérapeutique fut établie par une recherche scientifique récompensée par le prix Nobel: elle est un ingrédient clé de la production d'énergie et son affinité pour le coeur est telle qu'un cardiologiste en chef du programme de transplantation cardiaque au Danemark croit qu'elle peut avoir un rôle protecteur durant une opération de pontage coronarien. On la trouve dans chaque cellule de notre corps et elle est très concentrée dans les cellules du muscle cardiaque, le muscle qui travaille le plus dans notre corps. On croit que le manque de coenzyme Q10 produit une diminution de la production et de l'efficacité des cellules blanches défensives du sang dans le système immunitaire. Malheureusement, la production de coenzyme Q10 dans notre corps commence à décliner dans la vingtaine, nous laissant gravement en manque à la fin de la maturité.
- **Vitamine E**. Elle est un des plus importants antioxydants.

Seconder le foie

Devant la quantité de toxines que génère la destruction du candida, il est important d'aider notre foie. En plus de la l-glutamine, le silymarin est un des suppléments les plus populaires pour le foie. Extrait du chardon argenté (*silybum marianum*), le silymarin a été testé dans plusieurs essais cliniques montrant qu'il aide le foie à maîtriser les toxines et à s'en libérer; il a l'habileté particulière de stimuler le foie à se régénérer. Il est utilisé par les personnes en chimiothérapie pour diminuer les dommages au foie. Le docteur Joseph Pizzorno le classe comme étant «probablement le plus puissant agent protecteur du foie que nous connaissions».

Aider la digestion

Les personnes victimes d'une surcroissance du candida ont tendance à avoir un estomac peu acidifié, ce qui signifie que les aliments protéiniques comme la viande, le poisson, les oeufs, le fromage, etc., ne sont pas digérés suffisamment. Ceci laisse de grandes particules d'aliments traverser l'intestin qui peut couler, lesquels s'en iront dans le système sanguin. Ces particules de protéines, étrangères au corps, sont attaquées par les anticorps et rejetées dans des endroits pratiques, possiblement un espace dans vos tissus, comme une articulation. Là, elles sont visées par les cellules du système immunitaire et par les éléments chimiques stimulés par les pointeurs anticorps et le résultat sera de la douleur, de l'inflammation, du ballonnement et ainsi de suite. Ceci pourra être perçu comme étant une allergie, mais en réalité, c'est une conséquence directe d'une surcroissance du candida.

Des quantités insuffisantes d'acide stomacal ont des effets ailleurs que sur les protéines de votre alimentation. L'acide est une façon importante de neutraliser les microbes pouvant causer des maladies (entre autres, il tue les levures). Sans acide, les microbes pénètrent et le système digestif produit plus de toxines. En outre, les aliments libérés par l'estomac, mêlés à la bonne proportion d'acide, stimulent le pancréas afin qu'il libère les enzymes digestives et le bicarbonate alcalin dont ils ont besoin pour bien travailler. Ces enzymes sont des catalyseurs chimiques qui poursuivent la digestion du reste des aliments, les hydrates de carbone comme les pommes de terre et le pain, les gras, qui ne sont pas complètement décomposés avant d'avoir atteint l'intestin grêle. Si votre système fonctionne bien, les gras sont désintégrés en acides gras et les hydrates de carbone en parties chimiques de plus en plus petites jusqu'à ce qu'ils soient réduits en des sucres facilement utilisables. Lorsque vos aliments ont été transformés en ces particules simples et microscopiques, alors et seulement alors, pourront-ils franchir la paroi de l'intestin et être absorbés soit dans le système sanguin ou, dans le cas des acides gras, dans leur propre mécanisme de transport, la lymphe. Les nutriments sont distribués dans le corps et apportés là où ils sont requis. Cependant, si les hydrates de carbone ne sont pas fragmentés et suffisamment digérés, ils deviennent un stimulant pour les levures comme le candida qui se nourrit du sucre qu'ils contiennent. Évidemment, si votre digestion est dérangée à ce point, vous perdez aussi des nutriments vitaux, ce qui est une autre façon insidieuse pour le candida de vous affaiblir.

Vous pouvez contourner ce problème de diverses façons. Premièrement, vous pouvez manger les bons aliments pour votre groupe sanguin (*voir* page suivante).

Acide stomacal et groupe sanguin

D'après le Dr Peter D'Adamo, auteur de *Eat Right 4 Your Type*, la production d'acide stomacal varie selon le groupe sanguin. Le groupe O a tendance à avoir suffisamment d'acide stomacal, ce qui lui permet d'assimiler la viande plus facilement que le groupe A qui en a peu.

- **Groupe O: le chasseur-cueilleur**. C'est le plus ancien groupe sanguin. Les gens de ce groupe assimilent bien une diète de viande, forte en protéines, faible en hydrates de carbone, mais doivent couper le blé, les grains et les produits laitiers. Ils ont besoin d'exercice intense et vigoureux. Le sang de groupe O réagit fortement au gluten du blé et le maïs est un autre problème majeur.

- **Groupe A: le cultivateur**. Ce groupe sanguin qui a évolué en réponse à une existence plus sédentaire et agraire fait de ces gens, biologiquement, des végétariens naturels. Ils n'ont pas l'acide stomacal nécessaire pour recevoir beaucoup de protéines mais absorberont les grains et une diète riche en hydrates de carbones (à faible teneur en gras). Leur système immunitaire est plus fragile que celui des O et des B. Plus sédentaires que les autres groupes, l'exercice doux et la méditation leur réussit.

- **Groupe B: le nomade**. On croit que ce groupe est issu d'ancêtres aventureux chassés d'Afrique vers l'Himalaya et l'Asie. D'après les études sur le système sanguin, le groupe B est le seul à qui les produits laitiers réussissent, mais il faut éviter le gluten du blé. Les gens de ce groupe ont besoin d'une diète variée qui comprend de la viande. L'exercice modéré, comme la natation ou la marche, leur réussit.

- **Groupe AB: l'énigme.** Il est le groupe sanguin le plus récent, ayant fait son apparition il y a moins de 1 000 ans selon le Dr D'Adamo, il est biologiquement complexe. Les gens du groupe AB ont des digestions difficiles avec peu d'acide stomacal et comme pour le groupe A, leur système immunitaire est fragile.

Deuxièmement, plusieurs personnes ont bénéficié du principe des combinaisons alimentaires. Le principe de base est qu'il ne faut pas associer des aliments qui se combattent. En pratique, cela signifie manger des aliments à concentration protéinique séparément de ceux à concentration d'hydrates de carbone, donc finis les sandwiches au fromage ou poisson avec pommes frites, même si ces plats sont préparés selon des principes diététiques! Plusieurs aliments sont un mélange de protéines, de gras et d'hydrates de carbone, mais certains sont une source hautement concentrée d'un ou de l'autre. Comme nous l'avons vu, les protéines et les hydrates de carbone sont décomposés dans des endroits différents du système digestif, les protéines dans un environnement acide, les hydrates de carbone dans un environnement alcalin. Les aliments à forte teneur en protéines comprennent la viande, le poisson, les oeufs, la volaille, le fromage (surtout faible en gras), alors que les aliments à forte teneur en hydrates de carbone sont le pain, les pommes de terre et les pâtes.

Troisièmement, si vous avez plus spécifiquement des problèmes de digestion des protéines, vous pouvez prendre un supplément de HCl et de pepsine, que votre estomac devrait produire lui-même. (Ne le prenez pas si vous avez des ulcères ou une gastrite.) Finalement, si vous sentez que les hydrates de carbone et les gras sont aussi un problème, vous pouvez ajouter à votre diète des enzymes digestives à large spectre, par exemple 100 mg de protéase digérant les protéines, 10 mg de lipase qui décompose les gras et l'amylase, une enzyme d'hydrate de carbone, avec chaque repas principal afin d'aider à décomposer les protéines, les gras et les hydrates de carbone. Ceci est particulièrement important si vous avez un intestin qui coule, beaucoup de ballonnements et d'autres problèmes digestifs. (Ceux-ci ne doivent pas être pris si vous avez des ulcères ou une gastrite).

Vous n'aurez pas à garder ce régime de suppléments pour longtemps: lorsque le candida sera sous contrôle et que l'intestin qui coule sera guéri, vous pourrez vous passer des suppléments digestifs qui vous apportaient un soutien.

Eau

Nous sommes des «sacs d'eau chevelus»! Voilà comment le docteur Michael Colgan, expert en nutrition des sportifs, décrit les être humains. Il est étrange dit-il, que nous oublions que «le plus important nutriment de notre corps est l'eau pure». Notre corps contient de 70 à 80 pour cent d'eau. «La qualité de nos tissus, leur performance et leur résistance aux blessures sont absolument reliées à la

quantité et la qualité de l'eau que nous buvons»,
ajoute le docteur.

Un autre expert, le docteur F. Batmanghelidj, est
certain que plusieurs maladies résultent de la déshy-
dratation chronique. Puisque seulement 25 pour cent
du corps est fait de matière solide, le contenu en eau
peut être plus important que le reste. Il est vrai que
nous ne prenons pas suffisamment d'eau pure en
général, alors que la plupart de nos breuvages
réguliers contiennent de la caféine diurétique, ce qui
signifie que même en étanchant notre soif, ces boissons nous font perdre des fluides. Il est important de
rectifier ceci, surtout lorsque nous éliminons les
toxines du candida. Selon le Dr Batmanghelidj:

> Votre corps a besoin d'au moins six à huit verres de 200
> ml d'eau par jour. Les meilleurs moments pour boire de
> l'eau (par observation clinique dans les cas d'ulcères
> peptiques) sont: un verre une demi-heure avant de
> manger…et la même quantité deux heures et demie
> après chaque repas.

Exercice

L'exercice régulier augmente l'énergie, améliore
la circulation, accroît l'élimination des toxines par
les poumons et la peau, et est vital pour assurer que
le système lymphatique est en bon état de fonctionner. Le fluide lymphatique contient des cellules
qui surveillent et nettoient le système immunitaire,
tout en étant le canal par lequel nous absorbons les
acides gras si importants. Contrairement au sang, la
lymphe n'a pas de pompe à son usage exclusif pour
assurer sa circulation. Elle doit compter sur la
gravité et la contraction musculaire. Nous devons
donc faire bouger nos muscles!

L'exercice régulier améliore la force et la vigueur sans sacrifier la souplesse. Pour débuter, un programme idéal comprendra une marche à un bon rythme et un léger entraînement avec des poids, combiné à de la détente et de l'étirement. Il est important de ne pas suivre l'exemple de plusieurs athlètes qui devraient être mieux renseignés et faire des étirements avant de commencer leurs exercices; ne jamais s'étirer lorsque le corps est froid. Avant de commencer un exercice, il faut relâcher ses muscles et les réchauffer. Après l'exercice, lorsque les muscles sont chauds, c'est le temps de faire des étirements.

L'avantage de faire des exercices comme le yoga est que les classes et les pratiques individuelles sont généralement conçues pour que les étirements les plus intenses se fassent après les mouvements de réchauffement des parties du corps qui travailleront le plus. Les techniques de respiration et les contractions musculaires spécifiques peuvent être utilisées pour générer de la chaleur interne. Le yoga, pratiqué et testé pendant des milliers d'années, implique des mouvements allant de très doux à très rigoureux; il est l'exercice le plus complet, le plus simple et le plus bénéfique qui soit car, non seulement il renforce le corps, mais aussi, il corrige les déséquilibres physiques et améliore la capacité d'oxygéner le système. Vous voudrez peut-être essayer une thérapie par le yoga qui vise à aider les gens aux prises avec des problèmes de santé particuliers. Selon le London's Yoga Biomedical Trust, «Le yoga est un système holistique d'exercices qui renforcent et détendent le corps, procurent un calme intérieur, physique, émotif et mental.»

Moisissures et levures dans l'environnement

Si vous combattez la surcroissance du candida, vous pourrez vous sentir mal si vous vivez et travaillez avec des moisissures et des levures, même si vous les évitez dans votre diète.

Vérifiez à la maison et au travail pour trouver les endroits humides et sombres où les levures ainsi que les moisissures pourraient s'épanouir. Elles se trouvent naturellement dans le sol, l'air et l'eau, vous ne les éliminerez jamais entièrement, mais il est préférable d'éviter les endroits où elles peuvent être particulièrement abondantes. Vous serez surpris d'en trouver certaines sources autour de vous: les plantes d'intérieur et les pots à fleurs, les tas de feuilles ou de compost, les vieux livres, les vieux meubles, les matelas humides et la literie qui n'a pas été aérée, les sous-sols humides, les salles de bain et les cuisines, les pièces où la lessive est étendue pour sécher.

En plus du programme de base que nous venons de décrire, il y a un certain nombre d'autres facteurs à prendre en compte, comme le stress, que nous étudierons dans les prochains chapitres.

Mais est-ce que tout ceci est vraiment nécessaire? La réponse est oui. Il y a d'autres approches au traitement comme l'homéopathie et la médecine chinoise traditionnelle qui ne sont pas aussi exigeantes pour le patient. Il y a aussi des traitements spécialisés pour les allergies qui ont eu un certain succès. Cependant il y a très peu de recherches publiées afin d'aider celui qui cherche un traitement efficace pour la surcroissance du candida chronique. Les rapports cliniques qui semblent les plus prometteurs et les histoires de succès sont principalement basés sur des variations du protocole de base donné ici.

Une diète anti-candida sans antifongiques ne sera pas efficace. En Allemagne, les médecins croient maintenant que si l'on se contente d'enlever le sucre et la levure, le candida se retrouvera dans les plis les plus profonds de la paroi intestinale, d'où il devient encore plus difficile à déloger. D'un point de vue écologique, cette opinion est logique: une population affamée intensifie sa recherche de nourriture.

Si vous abandonnez les suppléments de probiotiques, il arrivera comme avec les antibiotiques, que le candida resurgira aussitôt que vous cesserez de prendre des antifongiques ou que vous ferez une entorse à votre diète. Si vous ne guérissez pas la paroi de votre intestin endommagé, vous continuerez à souffrir de vos problèmes originaux, surtout l'inflammation et les réactions de type allergique. Vous pourrez avoir à suivre une diète encore plus rigoureuse.

Le supplément final est une prescription de RRR, une combinaison de trois ingrédients essentiels et souvent ignorés, même dans les régimes les mieux pensés. Sans eux, vous ne prendrez pas de mieux. Ils s'appellent, relaxation, repos et récupération. Nous verrons dans les prochains chapitres comment vous pouvez les obtenir.

CHAPITRE 6

Thérapies naturelles: un survol

Jusqu'à maintenant, nous avons cherché à combattre la surcroissance du candida par la nutrition. Guérir l'intestin par l'intestin semble de bonne guerre, puisque nous avons vu que le problème du candida en est d'abord un d'ordre écologique, dérangeant un habitat, votre intestin, et y produisant un déséquilibre. Mais la micro-écologie de l'intestin fait aussi partie d'un environnement plus vaste, le corps entier, compris dans un système encore plus grand, incluant notre esprit, nos émotions, notre spiritualité et, bien entendu, le monde et les gens autour de nous. Dans les prochains chapitres, nous verrons les systèmes de guérison holistique qui peuvent être utilisés en même temps que la nutrition dans le traitement de la surcroissance du candida.

Un ami de ma famille se décrit comme un médecin ordinaire. Il dit que toute cette question holistique est au-delà de lui. Maintenant à la retraite, il fut médecin à la campagne où il vit encore depuis plus de 40 ans. J'ai parlé à plusieurs de ses vieux patients qui se rappellent bien des occasions où il réglait un problème de logement, offrait un travail à temps partiel ou mettait sur pied un club social fructueux pour gens âgés. Il possède encore les bonnes manières dont il ne se départissait pas lorsqu'il était appelé d'urgence au milieu de la nuit. Pour lui, c'était l'aspect humain de la vie qui comptait.

Aujourd'hui, nous dirions qu'il pratiquait une médecine holistique, même s'il ne répugnait pas à prescrire des antibiotiques et l'on doit dire que c'est un genre de médecine holistique qui va au-delà de la plupart des thérapies alternatives et complémentaires. Alors, ne nous laissons pas emporter par l'idée que la seule bonne médecine est non-orthodoxe, non-hospitalière. Votre médecin est tout aussi capable d'adopter une vision vraiment holistique de votre problème qu'un thérapeute naturel. Cependant, il est vrai de dire que la plupart du temps votre médecin n'a pas le loisir de le faire. Dans certains cas, ce n'est pas vraiment important, lorsque votre problème est simple, à occurrence unique, et que vous avez besoin d'aide pour le résoudre. Mais avec le candida, les choses sont plus complexes: il peut être valable de voir un praticien qui ne fera pas seulement traiter les symptômes mais qui voudra savoir ce qui cause vraiment le problème.

Comme nous l'avons vu, lorsqu'il s'agit de traiter les symptômes du candida, vous serez chanceux de vous en tirer avec une seule médication antifongique pour recouvrer la santé; mais il y a de fortes chances que même si le traitement efface les symptômes, vous bénéficiez seulement d'un répit passager. Pour cette raison, un praticien de médecine alternative ou complémentaire voudra explorer différentes facettes de votre vie pour découvrir comment les éléments de ce tout contribuent au problème que cause le candida.

Par exemple, il voudra évaluer votre niveau de stress et établir comment vous le gérez. Le stress affecte le système immunitaire et peut vous rendre vulnérable aux infections et autres maladies. Ce qui se passe au travail, à la maison, avec votre famille, vos amis, dans votre vie sentimentale, peut être important, comme ce que vous faites pour vous détendre. S'il est évident que vous êtes préoccupé par votre travail, si vous ne dormez pas bien, sautez des repas et ressentez des malaises d'estomac, il ne sert à rien de vous demander de commencer un traitement impliquant des changements majeurs à votre style de vie (incluant un changement de diète et la prise de grandes quantités de pilules à chaque repas), vous êtes déjà suffisamment stressé. Le traitement peut toujours être adapté à votre situation particulière, c'est ce que fait la médecine holistique. Le meilleur traitement pour vous pourra consister en des vacances, en plus de procéder à une évaluation réaliste de ce que vous pouvez faire pour régler la situation.

De façon plus pratique, vos habitudes alimentaires peuvent jouer un grand rôle dans votre problème et il peut être bon de consulter un thérapeute en nutrition, un médecin naturopathe, un médecin ou un praticien en santé naturelle formé en nutrition. Il y a aussi des approches variées qui s'attaquent au problème du candida à partir d'une perspective complètement différente, comme l'ayurvedisme, la médecine chinoise traditionnelle, la médecine par les plantes et l'homéopathie; des thérapies physiques peuvent contribuer, à une moindre échelle, à améliorer la situation: la chiropratique, l'ostéopathie, le shiatsu. La plupart de ces thérapies peuvent se réclamer d'un ou de tous les éléments suivants:

- holistique, visant à traiter toute la personne, pas seulement les symptômes

- complémentaire, signifiant qu'elles peuvent être employées en conjonction avec un traitement médical orthodoxe et peuvent en augmenter l'efficacité; signifiant aussi que les traitements devraient apporter un complément à l'écologie naturelle du corps, travaillant pour lui et non contre lui
- alternative, offrant une véritable alternative à la médecine conventionnelle; le traitement peut être perturbé par le mélange des deux (antibiotiques et probiotiques, par exemple)
- naturelle, visant à l'emploi de remèdes naturels, plutôt que synthétiques, fondée sur l'expérience que les premiers sont mieux tolérés par l'organisme, sont en général moins toxiques et travaillent avec le corps, non pas contre lui.

Un principe fondamental des thérapies complémentaires et alternatives est la croyance de base, en naturopathie, que la nature a le pouvoir de guérir. Ceci se traduit dans la croyance, commune à la plupart des thérapies, que le corps a la capacité de se guérir, s'il en a la chance. Les remèdes, les suppléments, les techniques ne guérissent pas, pas plus que le praticien. Le travail du praticien est de:

- traiter le patient, pas la maladie
- aider le patient à lever les obstacles (qui peuvent être biochimiques, structurels, émotionnels ou sociaux) à la guérison
- s'assurer que les matériaux fondamentaux sont disponibles (sous forme de diète, de suppléments, de remèdes ou d'apport énergétique et de vibrations)
- s'assurer qu'une chance est donnée (par la relaxation, le repos et la récupération, même si c'est

seulement pendant l'heure hebdomadaire de thérapie) au corps d'utiliser sa capacité innée d'auto-guérison.

Parce que les thérapies complémentaires et alternatives essaient honnêtement de s'attaquer aux problèmes de santé sur plusieurs fronts à la fois, il est difficile de faire une distinction entre les soins de l'esprit et ceux du corps; plusieurs ont cependant une orientation particulière; elles tombent dans deux catégories principales, les thérapies physiques et les thérapies émotionnelles, avec la possibilité d'une troisième catégorie, les thérapies énergétiques ou de vibrations.

- **Thérapies physiques**. Celles qui travaillent évidemment et directement sur le corps dans un sens très physique, à l'extérieur et à l'intérieur. Ce sont la chiropratique, l'ostéopathie, le massage, la réflexologie, ainsi que d'autres formes de travail sur le corps, comme la thérapie nutritionnelle, la médecine par les plantes et la thérapie du côlon.
- **Thérapies émotionnelles**. Cherchent à aider le corps en passant par l'esprit et les émotions. Ce sont l'enseignement de la méditation, la relation d'aide, la détente et la biorétroaction.
- **Thérapies énergétiques ou de vibrations**. Elles fonctionnent d'après le principe que la maladie apparaît seulement dans le corps après qu'un déséquilibre ou une interruption se soit produit à un niveau plus subtil, dans l'énergie naturelle du corps, dans ses forces vitales. On retrouve ici l'acupuncture, l'homéopathie, les remèdes par les fleurs, les pierres, le cristal et la couleur.

Des catégories comme celles-ci ne sont pas entièrement satisfaisantes; il y a plusieurs thérapies, comme le shiatsu, qui s'appliquent à plus d'une catégorie. Elles ne sont pas suffisamment larges pour regrouper les thérapies naturelles anciennes et modernes qui sont des systèmes complets de guérison. On pense entre autres aux thérapies suivantes:

- l'ayurvedisme, un système médical traditionnel indien vieux de 3 000 ans qui comprend le travail sur le corps, les plantes, la diète, l'exercice et la spiritualité.
- la médecine traditionnelle chinoise, vieille aussi de milliers d'années, qui utilise l'acupuncture, les plantes, des conseils diététiques, le massage, l'art interne et externe de la manipulation énergétique.
- la médecine naturopathique qui traditionnellement met l'accent sur les principes essentiels: lumière, air, eau, nourriture. Leur incarnation éclectique inclut la nutrition, les plantes, les remèdes homéopathiques, le travail sur le corps, l'hydrothérapie, le jeûne thérapeutique et la relation d'aide. Comme les anciens systèmes, elle met l'accent sur la possibilité de bâtir une santé optimale et de prévenir la maladie, plutôt que de seulement la traiter lorsqu'elle se manifeste.

Malgré ces problèmes, les catégories sont utiles pour offrir un survol des thérapies disponibles et les chapitres qui suivent sont basés sur elles.

CHAPITRE 7

Traiter le corps

Herborisme médical

Le système médical holistique occidental plonge ses racines dans la Grèce ancienne et oriente son futur dans l'exploration scientifique moderne du pouvoir de guérison par les plantes. Bien que les remèdes à base d'ail et de chardon argenté ont leur place dans l'approche globale envers le candida, basée sur la diète et les suppléments, un praticien spécialiste de la médecine par les plantes considérerait probablement cette méthode comme une utilisation parcellaire et symptomatique des plantes. L'herbaliste moderne utiliserait bien sûr des antifongiques spécifiques et un soutien au foie, mais le but général serait de ramener le corps en équilibre, en redonnant de la force aux systèmes plus faibles et en stimulant l'élimination et la désintoxication afin que le système immunitaire puisse faire son travail. Une façon efficace de se servir des plantes est de prendre le jus de plantes cultivées organiquement. En Allemagne, les jus de plantes sont largement employés de cette façon; ils sont considérés plus efficaces que les tisanes et les remèdes séchés. Plusieurs personnes font leurs propres jus de plantes médicinales quotidiennement, mais il existe une vaste gamme de jus produits commercialement. On doit à Walther Schoenenberger d'avoir découvert et établi les standards de la production et de l'embouteillage de ces jus puissants tout en conservant leur pleine valeur biologique. Sa recherche a débuté il y a près de 50 ans. Deux jus de plantes sont particulièrement recommandés, en combinaison, pour les cas de candida; ce sont l'allium (*Allium ursinum*) que Siegfrid Gursche, auteur d'un livre intitulé *Healing with Herbal Juices*, décrit comme «un cousin sauvage de la famille de l'ail» et l'armoise (*Artemisia absinthium*) qui sous cette forme procure une concentration élevée d'amers.

Médecine chinoise traditionnelle (MCT)

En combinant l'emploi des plantes, les recommandations diététiques et l'acupuncture, un diagnostic de MCT cherche aussi les déséquilibres du corps, mais d'une façon qui apparaît étrange à plusieurs esprits occidentaux. Il met l'accent sur le constant état de changement du corps et le traitement vise à restaurer un équilibre dynamique dans la façon dont il utilise le chi, une énergie subtile évoluant dans des canaux appelés méridiens. Les aiguilles percent la peau, sans douleur, même s'il peut y avoir une sensibilité ou une sensation d'engourdissement aux points de traitement, lesquels sont situés à divers endroits le long des méridiens. L'acupuncture est couramment employée en Chine pour anesthésier des parties du corps avant une intervention chirurgicale.

Un diagnostic de MCT semble étrange à des scientifiques occidentaux, car les termes employés sont quelque peu poétiques, qu'il s'agisse de décrire un état lié à «l'élévation de la chaleur du foie» ou à «la déficience en yin dans le rein». C'est parce que le praticien cherche l'équilibre et l'interaction des cinq éléments chinois familiers qui sont comme cinq expressions différentes ou humeurs de l'énergie chi. Ces éléments sont: le bois (développement et génération), le feu (expansion et radiation), la terre (stabilisation et centralisation), le métal (solidification et contraction) et l'eau (réunification et plongeon). Chacun a un accent yin et yang, ou une sensation douce-dure, négative-positive. Ces éléments sont associés à des paires d'organes particuliers, ce qui est, encore une fois, très différent de la médecine occidentale: coeur/intestin grêle (feu), reins/vessie (eau), foie/vésicule biliaire (bois), poumons/gros intestin (métal), pancréas/rate/estomac (terre).

Cette conception n'est pas mystérieuse pour un praticien de MCT: il s'agit d'une façon différente de regarder l'interrelation entre l'énergie et le corps. Ce dernier donne tous les indices nécessaires au praticien expérimenté pour pouvoir lire ce qui se passe à l'intérieur. Il y a d'abord les symptômes, bien entendu, mais ceux-ci sont moins importants que la façon dont ils sont produits, puisque différentes personnes pourront présenter ce qui semble être la même maladie, mais avec des combinaisons différentes de déséquilibres. Le praticien en MCT prendra le pouls à quelques reprises, examinera soigneusement la langue, notera la couleur et l'aspect de la peau, des cheveux, des ongles et ainsi de suite pour bâtir son diagnostic.

Le traitement consiste en une combinaison de plantes et d'acupuncture. Plusieurs praticiens se servent de plantes séchées, qu'ils vous demanderont de cuire dans l'eau bouillante pour en faire une

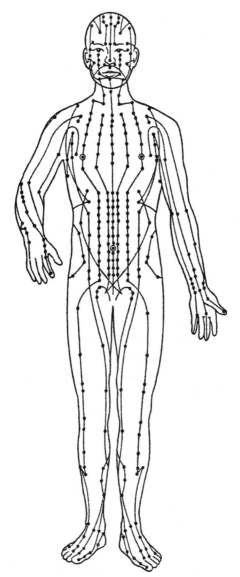

Fig. 4 Les méridiens d'énergie en acupuncture

soupe au goût désagréable (je n'ai jamais rencontré quelqu'un qui trouvait cette concoction délicieuse!) Plusieurs séances d'acupuncture sont habituellement nécessaires.

Il semble que l'acupuncture permet au praticien de MCT d'influencer le fonctionnement du corps directement par le système nerveux, ajoutant au traitement une dimension qui manque dans les autres thérapies.

Ayurvedisme

C'est probablement le plus vieux système médical au monde et la forme dominante de médecine traditionnelle en Inde. Tout à fait holistique, l'ayurvedisme englobe une diversité d'approches combinant une diète et des remèdes adaptés à votre physiologie particulière, à des techniques qui s'adressent aux problèmes de la structure physique ainsi qu'aux aspects mentaux et émotionnels de la maladie. On y a accès, en Occident, par des médecins qui ont suivi une formation supplémentaire et qui l'offrent dans une forme simplifiée, en employant surtout des remèdes de plantes et une modification de la diète. Des remèdes anti-candida particuliers peuvent être utilisés, mais on met l'accent sur votre capacité d'atteindre l'équilibre des trois doshas ou influences énergétiques (vatta, pitta et kapha) dans votre système.

Ostéopathie et chiropratique

À un certain moment durant le traitement du candida, vous devrez faire vérifier la «mécanique» de votre corps au cas où elle entraverait votre guérison. Les ostéopathes et les chiropraticiens se spécialisent en techniques de manipulation qui ont pour but de corriger les déséquilibres structurels. Ceux-ci ne vous causent peut-être pas de problèmes apparents, mais une simple déviation de la colonne, par exemple, peut avoir des effets lointains par l'irritation d'un nerf qui, à son tour, pourra contribuer à rendre un organe dysfonctionnel. Cela pourrait être un effet direct impliquant une vertèbre déplacée qui presse mécaniquement sur un nerf à proximité ou une contraction musculaire chronique causant un problème semblable. C'est aussi fréquent pour un problème structurel, tel le stress, un traumatisme accidentel ou simplement de mauvaises habitudes de posture qui causent une énorme pression musculaire sur un organe interne.

Un adage du travail corporel dit que «la structure détermine la fonction». Ceci se traduit par l'idée que vous pourriez être incapable de retrouver une fonction digestive normale si vous passez vos journées continuellement courbé sur un pupitre, l'abdomen plié. Nous avons vu que notre environnement interne n'est pas seulement sensible au stress, mais qu'il est dépendant d'un équilibre des sécrétions acides et alcalines et de l'habileté de l'intestin à bouger.

Hydrothérapie

Les traitements à base d'eau peuvent donner des résultats étonnants. Les applications d'eau chaude et d'eau froide sont une méthode naturopathique traditionnelle qui a été validée par la recherche moderne. Vous pouvez stimuler votre énergie et votre système immunitaire en bâtissant graduellement votre résistance à l'eau froide de façon à ce qu'après une période d'environ trois mois, vous pourrez vous immerger complètement dans l'eau froide et y prendre plaisir! Les recherches qui ont étudié les personnes utilisant ce système de progression montrent que le corps s'adapte à l'immersion plus profonde et qu'à la fin de la période de trois mois, une immersion totale dans l'eau froide est devenue une façon tout à fait normale de commencer la journée. Les bienfaits se font sentir dans le système immunitaire par une diminution des rhumes et des infections et une augmentation de l'énergie. La clé du succès est de commencer l'endurcissement très graduellement, en s'habituant d'abord à commencer la journée en trempant seulement les pieds dans l'eau froide. Prenez votre temps, glissez-vous dans l'eau graduellement, et faites-le de plus en plus souvent.

Travail du corps

Diverses formes de travail du corps sont très valables dans la guérison du candida. C'est grâce en partie à la détente qui en résulte, laquelle permet au corps de se débarrasser des sous-produits toxiques du stress, ce qui contribue à renforcer votre système immunitaire. Selon les formes de travail du corps, celui-ci sera touché plus profondément, soit par les effets réflexes sur les nerfs, les points déclencheurs et les points d'acupuncture tout juste sous la surface de la peau, soit en éliminant par pression manuelle une accumulation stagnante de toxines chimiques ou blocages énergétiques. Ces genres de thérapie comprennent:

- **la technique neuromusculaire**, un système élaboré de diagnostic et de traitement qui travaille sur les tissus mous du corps, surtout par la pression du pouce; la technique comprend plusieurs différents systèmes de points de traitement sur le corps qui peuvent affecter d'autres tissus et organes par action réflexe.
- **le massage**, qui varie selon qu'il est orienté seulement vers la détente ou qu'il se concentre sur des blessures particulières, des secteurs de tension musculaire ou des dommages aux tissus
- **le shiatsu**, qui tient compte du système des méridiens, comme l'acupuncture, mais fonctionne avec la pression du pouce, du coude, du genou et de la main sur des points, plutôt qu'avec des aiguilles; on y pratique aussi des étirements ainsi que des techniques de soutien.
- **la réflexologie**, qui implique principalement l'application d'une pression et de mouvements du pouce à divers endroits de la plante du pied, parce que le travail à cet endroit affecte les organes et les tissus du corps qui y sont reliés par un système de réflexes.

Aromathérapie

L'aromathérapie combine les bénéfices du massage relaxant et réducteur de stress avec l'application d'huiles essentielles choisies en fonction de maladies particulières et aussi pour équilibrer la santé générale. Les huiles ont un effet à différents degrés, stimulant le cerveau à répondre aux arômes pour apporter de profonds changements dans le corps par la libération de messagers chimiques.

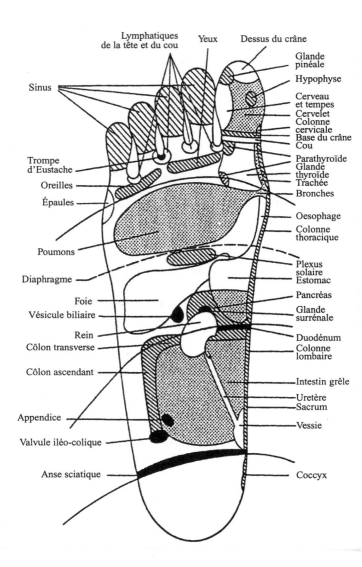

Fig. 5 Points de réflexologie sous le pied droit

Elles entrent dans le système sanguin par les poumons et aussi, bien entendu, par la peau, ce qui peut produire un effet local immédiat sur les tissus et les organes. Certaines huiles, comme l'arbre à thé, la menthe poivrée et l'eucalyptus, ont des propriétés antibactériennes, antivirales et antifongiques; certaines comme la lavande et la bergamote induisent un profond état de détente.

Irrigation du côlon

Il s'agit d'un moyen direct et mécanique de nettoyer le côlon, qui fait partie d'un programme de désintoxication visant à détacher les matières fécales qui pourraient adhérer aux parois du gros intestin et à le débarrasser des bactéries nuisibles. Dans le traitement de la surcroissance du candida, le thérapeute du côlon peut, en même temps, y introduire de bonnes bactéries.

CHAPITRE 8

Traiter l'esprit et les émotions

Il est pénible de pouvoir à peine se tirer du lit le matin; c'est encore pire lorsque nos idées sont confuses, que tout ce que l'on mange nous fait dormir ou nous donne des douleurs et des ballonnements. C'est même terrible lorsque nos amis et ceux que nous aimons perdent patience devant notre recherche constante de ce qui ne tourne pas rond, en nous disant de nous prendre en main, de faire de l'exercice, de retourner aux études ou de prendre des vacances. Le candida n'est pas une maladie qui permet de gagner des amis ou leur sympathie, car l'apparence extérieure de la personne semble tout à fait normale.

Pour compliquer les choses, certaines des toxines produites par le candida peuvent traverser la barrière du sang et du cerveau et, s'ajoutant à la fatigue générale, peuvent créer de la confusion, de l'anxiété ou de la dépression (voir encadré).

Dépression

La dépression peut être dangereuse, alors consultez votre médecin traitant si vous ressentez des symptômes comme:

- sautes d'humeur
- insomnie matinale
- faible estime de soi
- douleurs ou fatigue inexpliquées

Plusieurs personnes sont dans cet état lorsqu'ils essaient de traiter eux-mêmes une surcroissance du candida. Mais comment pensez-vous pouvoir prendre des décisions rationnelles sur votre traitement? En vérité, plusieurs personnes ne le peuvent pas. Ils passent d'un nouveau supplément à l'autre, d'une thérapie à l'autre, prenant un peu de mieux, puis faisant une rechute.

La réponse à ceci: allez chercher de l'aide. Même si vous voyez un praticien, obtenez de l'aide. Communiquez avec un groupe d'aide aux personnes atteintes du candida ou associez-vous à une autre personne que vous connaissez et qui en souffre aussi. Vous pourrez également aller en relation d'aide.

Relation d'aide

La relation d'aide peut avoir des effets bénéfiques immédiats. Premièrement, vous aurez quelqu'un qui sera toujours là pour vous et qui vous comprendra. Deuxièmement, vous aurez quelqu'un qui prend en note l'évolution de votre cas. Il est facile de passer à côté des indices d'amélioration: les symptômes qui ne vous dérangent plus à présent. Cela peut suffire à vous aider lorsque ça ne va pas bien.

Troisièmement, vous aurez quelqu'un avec qui explorer les processus internes associés à votre maladie et avec qui trouver les réponses à vos questions: pourquoi moi, pourquoi ceci, pourquoi maintenant? Vous pouvez penser objectivement à ce dont vous vous attendez de votre famille et de vos amis. Parfois, les familles résistent activement à quelqu'un qui commence un «drôle» de régime et sabotent ses décisions de ne pas manger de chocolat ou de ne pas boire d'alcool. De plus, vous pourrez vous imaginer ce que la vie sera lorsque vous recouvrerez la santé. Aurez-vous plus d'énergie? Pourrez-vous faire toutes ces choses dont vous rêvez? Est-ce que cela effraie votre famille ou votre conjoint? Est-ce que ça vous effraie? Vous pouvez avoir été malade pendant une longue période de temps. Les amis et la famille se sont habitués à vous voir ainsi et la plupart des gens n'aiment pas le changement.

Explorer la symbolique du candida

Votre état est sous-tendu par les choix et les expériences passées. Quelle est la signification plus profonde derrière tout cela? Plusieurs personnes aiment explorer la symbolique de leur maladie. Une école de pensée veut que la maladie soit une chance qui vous est donnée pour vous aider à apprendre quelque chose sur vous-même. Nous sommes familiers avec l'autre partie de nous-même qui communique avec nous par les rêves et dont le langage est d'ordre symbolique. De la même manière, vos symptômes peuvent être vus comme un essai de communiquer quelque chose que vous devriez savoir. Selon le spiritualiste Thorwald Dethlefsen et son collègue Rüdiger Dahlke, auteurs de *The Healing Power of Illness*, l'intestin grêle est souvent le lieu des craintes à propos de notre survie. C'est l'endroit de la transformation, de la séparation ou de l'analyse. Émotionnellement et physiologiquement, le système digestif possède «son propre esprit». Nous avons des réactions qui viennent des tripes. Le gros intestin, où la digestion est terminée mais où sont extraits l'eau et les nutriments résiduels, est le lieu de la cupidité et de l'inconscient. L'infection est vue comme un «conflit qui s'est incarné». Dans ce langage, la surcroissance du candida peut être vue comme un signe clair que quelque chose vous ronge et peut devenir hors de contrôle. Selon le professeur de bouddhisme Debbie Shapiro, ceci signifie aussi que votre environnement normal est déséquilibré ou dérangé, laissant probablement des énergies ou des influences non désirées pénétrer dans votre vie.

Louise Hay, réputée mondialement pour l'interprétation de ce langage et auteur de *You Can Heal Your Life*, suggère qu'un facteur contribuant au candida peut être la prévalence d'un style de pensée qui comprend «des sensations d'éparpillement, avec leur lot de frustration et de colère». Elle conseille d'employer ces affirmations: «Je me donne la permission d'être tout ce que je peux être et je mérite le meilleur de la vie. Je m'aide et je m'apprécie, ainsi que les autres.»

Composer avec le stress

Sur un plan plus scientifique, le fait que tout le système gastro-intestinal est gravement atteint par le stress mental et émotionnel est communément accepté. La recherche du Dr Candace Pert et de ses collègues au National Institutes of Mental Health indique que le cerveau, les glandes, le système immunitaire et les émotions peuvent être reliés par des composés chimiques appelés neuropeptides qui comprennent des messagers chimiques moins connus, comme les hormones et les peptides de l'intestin. Un chercheur expert des liens entre l'esprit et le corps, Ernest Rossi, affirme que le système de communication chimique et nerveuse des organes digestifs est du même ordre de complexité que le réseau de nerfs du canal vertébral. Ceci peut expliquer pourquoi une partie importante de la démarche de guérison du candida passe par l'organisation de ses pensées et de ses émotions.

Ceci souligne aussi l'urgente nécessité de traiter le stress. Il n'y a rien de mal à ressentir un certain niveau de stress. Cependant le stress des situations de la vie que nous nous sentons impuissants à contrôler ou qui se prolonge trop, nous amène au point où nous ne nous sentons plus vivants, énergisés et excités. Ce niveau de stress vide nos réserves et annule notre système immunitaire. Des recherches sur les étudiants passant des examens et sur les gens d'affaires ont montré comment le stress peut mener à la maladie. Cependant, ce n'est pas le cas de tout le monde. Une enquête qui a fait époque dans les années 1970 a étudié 200 gestionnaires et a montré que seulement la moitié d'entre eux étaient sérieusement malades, bien que tous furent soumis au même niveau de stress. Ian McDermott et Joseph O'Connor, formateurs et consultants en programmation neuro-linguistique (PNL), un système de modélisation et d'enseignement d'habiletés mentales et physiques efficaces, disent:

> Les gestionnaires qui restent en santé ont une façon différente de penser aux événements. Ils voient le changement comme inévitable et comme un défi et non comme une menace à leurs réalisations. Ils croient qu'ils peuvent contrôler l'impact d'un problème, mêmes s'ils ne contrôlent pas tout ce qui arrive.

McDermott et O'Connor croient que le PNL permet aux gens d'apprendre à se donner plus de choix sur leur façon de répondre au stress.

Une des façons d'y arriver est de croire à des choses positives par rapport à nous-même. «La croyance en notre propre habileté à contrôler les événements de notre vie réduira automatiquement le stress dont nous souffrons», disent-ils. Des chercheurs à Stanford University ont étudié cet état d'esprit qu'ils appellent «auto-efficacité». Ils trouvèrent que plus les gens croient pouvoir faire face au défi, moins le stress affecte leur vie. Les gens convaincus de cela ont un système immunitaire plus fort. Le livre de McDermott et O'Connor, *NLP and Health*, est bourré de suggestions et d'exercices pratiques et efficaces qui peuvent vous aider à transformer des styles de pensée ou de comportements malsains. Comme disent les auteurs: «Le choix vient de votre contrôle sur votre monde interne, pas le monde externe, qui n'est ni prévisible ni contrôlable.»

Des façons traditionnelles de reprendre le contrôle sur votre monde intérieur visent à favoriser une sensation de paix et d'harmonie, vous permettant d'avoir une perspective sur les événements. Deux moyens d'y arriver sont la méditation et le yoga. La méditation transcendantale (MT), un des systèmes de méditation les plus connus, a été très étudiée par les médecins et scientifiques qui ont constaté que sa pratique régulière donne des résultats étonnants en santé. Les arts martiaux internes du tai chi et du chi kung procurent aussi la détente, la paix et un sentiment de pouvoir intérieur par des mouvements coulants ou des positions statiques dans lesquels vous apprenez à sentir le flot de votre énergie interne.

Un travail doux sur le corps, où le toucher statique et sans intrusion est utilisé, par opposition au travail profond sur les tissus, peut vous permettre de ressentir une profonde sensation de détente et de calme. Le naturopathe et ostéopathe Leon Chaitow appelle ces techniques des thérapies de «point de tranquillité» et les compare au jeûne, où rien n'est fait au corps, pour le laisser tout simplement expérimenter le repos physiologique.

Dans plusieurs de ces non-activités, l'esprit peut être actif à certains moments. Dans la visualisation de vous-même en pleine santé, par exemple, vous devez pouvoir diriger vos pensées consciemment jusqu'à ce que vous ayez une image claire de vous-même. Dans les techniques de PNL, on vous encourage à bâtir

Fig. 6 La position du lotus

pour vous-même une expérience complète de l'esprit, préférablement en couleurs, avec des sons, des senteurs et des sensations. Comme nous le savons pour avoir pleuré et tremblé devant un film ou un programme de télévision, les images ont le pouvoir de changer l'état physiologique. C'est comme si le cerveau ne savait pas distinguer le vrai du faux. Si vous imaginez une situation avec suffisamment de force, l'esprit et le corps réagiront. Ne croyez-vous pas qu'il vaut la peine d'avoir des images positives, saines de vous-même?

Par opposition, la conscience passive est la clé de l'auto-relaxation, une des meilleures méthodes pour attaquer le stress. Un professeur britannique émérite, le docteur Kai Kermani, a écrit un livre sur cette technique et l'a utilisée avec de bons résultats, même dans une situation qu'il appelle «maladie catastrophique»: il a rendu service à des personnes victimes du sida et à d'autres ayant de l'arthrite, de l'eczéma et des maladies digestives comme la colite; il s'en sert aussi en sport, en éducation et en affaires. Il dit:

> Dans notre vie, on nous a appris la concentration profonde et active. Habituellement, notre concentration est orientée vers un résultat, un but... Cependant, avec la concentration passive, nous ne cherchons pas à atteindre un but ou à réaliser quoi que ce soit; tout ce que nous essayons de faire est de regarder ce qui arrive à notre corps et à notre esprit, c'est ce qui arrive lorsque nous suivons la formation et les instructions de l'auto-relaxation"

Les commandes de l'auto-relaxation telles «mon bras droit est lourd, mon bras droit est chaud» sont répétées dans une séquence établie jusqu'à ce que des sensations de chaleur et de lourdeur se fassent sentir. Votre rythme cardiaque et votre respiration sont ralentis et calmés par des commandes similaires, qui sont bâties en séquence, jusqu'à ce que votre corps et votre esprit puissent être conditionnés à répondre avec une détente totale, à une simple suggestion. L'auto-relaxation peut être employée régulièrement pour briser la réponse habituelle au stress, remplie d'anxiété, qui pourrait affaiblir le système immunitaire; elle vise à la remplacer par un état naturel de présence détendue. Ceci permet aux forces naturelles de guérison du corps de commencer à travailler. Comme le souligne le docteur Dr Kermani:

> C'est pourquoi l'auto-relaxation est si différente des autres techniques. Nous croyons savoir, à un niveau conscient, ce qui est mieux pour nous. En réalité, c'est la sagesse intérieure de notre corps et de notre esprit qui sait vraiment. Si nous lui laissons la possibilité de communiquer librement et sans entrave, elles travaillera au mieux pour nous.

Quelle que soit la méthode que vous prendrez pour guérir jusque dans votre esprit, il est important d'expérimenter, au moins une fois, ce que l'on ressent dans un état de profonde détente et de non-préoccupation. Ayant déjà connu cet état, vous aurez un point de référence et il sera plus facile d'y revenir.

CHAPITRE 9

Les forces de vie et les thérapies expérimentales

Homéopathie

Ce système vieux de 200 ans et développé par le docteur Samuel Hahnemann utilise des remèdes très dilués et énergisés ou «potentialisés» qui semblent avoir le pouvoir de stimuler le corps à se guérir. Le traitement homéopathique est basé sur le principe que «le semblable guérit le semblable», mais aussi sur une image globale de vos symptômes.

Les remèdes qui vous conviennent peuvent apparaître seulement après des heures de questions et de réflexion. Même si l'homéopathie reconnaît que certains remèdes spécifiques peuvent aider dans la plupart des cas de grippe ou d'autres maladies épidémiques, il est généralement vrai que parmi dix personnes souffrant d'une surcroissance de candida, chacune recevra un traitement différent.

L'homéopathie dit aussi être le seul système de médecine qui possède la capacité d'identifier et de liquider des prédispositions héréditaires à la maladie. C'est un autre système qui traite la personne entière, pas seulement le corps physique.

Hahnemann a prouvé qu'il est très efficace de traiter le semblable par le semblable et il a suggéré l'idée d'utiliser des doses très diluées de médicament qui pourrait être «potentialisé» durant la préparation. Le taux de succès de l'homéopathie semble corroborer une autre théorie majeure de Hahnemann: la guérison des gens était souvent entravée parce que leur système était encombré de miasmes, c'est-à-dire de prédispositions à la maladie héritées ou acquises, qui se faisaient sentir à un niveau énergétique, ou de vibrations et ce non seulement au niveau physique.

La médecine homéopathique est très puissante lorsqu'il s'agit d'équilibrer la flore intestinale, grâce au travail de pionnier accompli entre 1910 et 1920 par Edward Bach, un médecin britannique qui devint plus tard pathologiste et bactériologiste au London Homoeopathic Hospital. Bach a rapproché les miasmes de sa découverte selon laquelle les bactéries de l'intestin produisaient des poisons et empêchaient les gens de se sentir mieux. Il apporta des remèdes nouveaux qui devinrent connus sous le nom de Bach Bowel Nosodes dont l'effet nettoyait tout le conduit intestinal. Plusieurs organismes vivent dans l'intestin, mais Bach fut capable de les classer en sept différents types. Il pouvait prédire lequel causait un problème de santé à une personne, simplement en examinant ses symptômes.

La recherche de Bach fut publiée dans les journaux médicaux de l'époque et d'autres médecins continuèrent le développement des nosodes. Ceux-ci sont parfois préparés à partir des propres bactéries de la personne et on les a utilisés pour le sida avec de bons résultats apparents. Cela et l'approche globale homéopathique valent la peine d'être pris en considération pour le candida. Premièrement, l'homéopathie se dit capable de rejoindre des parties de l'organisme inaccessibles pour d'autres systèmes de médecine, afin de nettoyer des infections héritées ou acquises qui pourraient bloquer le processus de guérison. Comme l'ont fait remarquer les docteurs Sheila et Robin Gibson «Bach découvrit aussi que certains remèdes homéopathiques pouvaient changer la flore bactérienne des patients, alors que les médicaments conventionnels ou les régimes diététiques n'avaient produit aucun changement significatif» (cité dans *Homoeopathy for Everyone*, Arkana, 1991). Il est évident que cette recherche doit être poursuivie par les bactériologistes actuels.

Plusieurs praticiens homéopathes, à ce jour, répugnent à employer autre chose que des médicaments homéopathiques. Bach, bien entendu, travailla à une époque antérieure à l'arrivée des suppléments probiotiques, ce qui lui permit de faire des changements spectaculaires dans la quantité des bactéries intestinales. Les nosodes demeurent une option du traitement homéopathique, avec ou sans l'aide de la diète ou des suppléments probiotiques.

Mais Bach ne s'arrêta pas là. Il poursuivit en développant des remèdes à base de fleurs, qui étaient facilement disponibles et faciles à auto-administrer. Les remèdes sont réunis en 38 essences classifiées par les sept états émotionnels majeurs qu'ils ont pour fonction d'aider. Bach poursuivit sa recherche afin de trouver des façons plus ingénieuses d'employer ces remèdes; il vit que les traits de caractère du patient et ses symptômes mentaux semblaient être reliés au type de bactérie causant le problème. Il se retira de la médecine active et passa le reste de sa vie dans une recherche spirituelle, trouvant des remèdes doux par les fleurs, qui pouvaient être prescrits tels quels, sans nécessiter de tests de laboratoire.

En suivant la tradition de Bach, plusieurs autres pays ont développé leurs propres essences. Il s'agit des essences de fleurs et de pierres de Californie et de la forêt australienne. Le mécanisme de leur action est inconnu. Le docteur Richard Gerber suggère que:

> Les médecines de vibrations comme les essences de fleurs, les élixirs de pierres et les remèdes homéopathiques ... utilisent la propriété de l'eau d'emmagasiner l'énergie pour transférer au patient un quantum d'énergie subtile ayant une fréquence spécifique et porteuse d'information, pour effectuer la guérison à divers niveaux du fonctionnement humain.

Ceci est entièrement spéculatif, cependant, et il y a des années de recherches devant nous avant de pouvoir établir ce qui se passe à ce niveau «énergétique» de guérison.

Stress géospatial et feng shui

Pour traiter la racine de votre maladie, vous pourrez avoir à déménager ou à tout le moins à changer votre lit de place. Si vous dormez au mauvais endroit, vous vous soumettez, à long terme, à des radiations électromagnétiques nuisibles. Le stress géospatial décrit une énergie dérangeante qui peut venir de sources aussi variées que des courants souterrains, des étendues de prairies ou de l'intersection de lignes de radiation électromagnétique connues sous le nom de lignes de Hartmann, que l'on croit étendues selon un système de grilles sur toute la terre et qui ont quelque chose à faire avec le champ électromagnétique des planètes. Les radiesthésistes professionnels peuvent normalement détecter le stress géospatial qui peut être traité de diverses façons, si le déménagement est hors de question, soit en isolant votre lit, soit en utilisant des dispositifs que l'on branche.

Le feng shui est un système oriental ancien qui s'attaque au même problème, mais dans une perspective totalement différente: il est l'art de bien orienter les lieux et les choses. Les maîtres du feng shui sont régulièrement mis à contribution en Orient pour conseiller les gens sur l'amélioration du flot d'énergie dans les maisons et les commerces, afin d'assurer la santé et la prospérité. Comme pour le stress géospatial, un bureau au mauvais endroit ou une maison mal divisée soumet ses occupants aux effets du syndrome des édifices malades.

CHAPITRE 10

Comment trouver
et choisir un praticien

Il ne devrait pas être trop difficile de trouver un praticien en médecine naturelle. Il y en a beaucoup de nos jours, plusieurs sont bien formés et la plupart sont membres d'associations professionnelles qui les supervisent. Nous sommes témoins d'une explosion de l'intérêt du public pour les thérapies naturelles et d'une augmentation du nombre de praticiens qui les utilisent. Un rapport de 1993 du *New England Journal of Medicine* estimait que les gens, aux États-Unis, dépensent environ 15 milliards de dollars par année pour ce genre de traitement. En Australie, selon des chiffres de 1996 publiés dans *Lancet*, la somme atteint 1 milliard de dollars australiens. On calcule que les Australiens dépensent deux fois plus en médecine alternative qu'ils ne le font pour des médicaments pharmaceutiques.

Il n'est pas si facile de choisir le bon praticien. Vous devez savoir s'il peut traiter votre cas et il est également important que vous vous entendiez bien avec lui. Dans chaque thérapie, les approches sont différentes, ainsi que les personnalités. Il est primordial d'avoir un conseiller ou un praticien qui vous convienne. Plusieurs personnes se sentent coincées avec leur premier choix et si le résultat est négatif, elles croient que c'est de leur faute. Ce n'est pas vrai. Il faut faire un choix.

La meilleure façon de trouver un praticien est de vous en faire recommander un. Informez-vous autour de vous. À votre magasin local de produits naturels ou dans une librairie de volumes non-conventionnels, on peut vous indiquer quelqu'un. Si votre médecin approuve les thérapies complémentaires, il aura probablement une liste non-officielle de praticiens locaux fiables. Sinon, vous devrez chercher par vous-même. Vous apprendrez beaucoup en donnant un simple coup de fil et encore plus en visitant la clinique. Posez beaucoup de questions et servez-vous de votre intuition.

Voici quelques questions à poser:

- Où avez-vous suivi votre formation?
- Quelle fut la durée du cours?
- Était-il donné à plein temps ou à temps partiel?
- Quels diplômes possédez-vous?
- Avez-vous une autre formation?
- Depuis combien de temps pratiquez-vous?
- Depuis combien de temps pratiquez-vous à cet endroit?
- Avez-vous pratiqué ailleurs?
- Quelles méthodes de traitement employez-vous?
- Qu'est-ce qu'elles impliquent?
- Pouvez-vous me donner une idée du nombre de séances nécessaires?
- Combien le traitement coûte-t-il?
- Avez-vous eu du succès avec ce traitement auprès d'autres patients?
- Avez-vous des lettres de témoignages que je pourrais lire ou puis-je parler à un de vos patients qui a eu le même traitement que le mien?

- Êtes-vous membre d'une association profession-
  nelle?
- Acceptez-vous de travailler de pair avec le médecin
  régulier qui me traite ou un autre praticien?

Consulter un thérapeute naturiste

Puisque la plupart des thérapeutes naturistes,
même dans les pays dont le système de santé est
étatisé, travaillent de façon indépendante, il n'y a pas
de formule commune à l'ensemble d'entre eux.

Même s'ils partagent tous plus ou moins une
croyance dans les principes décrits au chapitre 6,
vous pourriez rencontrer des individus de toutes les
couches de la société. Vous rencontrerez autant de
différences de tenue, de pensée et de comportement,
qu'il y a de modes, allant du formel et du sophistiqué
jusqu'à l'informel le plus absolu.

De la même façon, leur lieu de travail sera très
différent. Certains présentent une image très recher-
chée dans une clinique avec réceptionniste, où tout
est efficace, alors que d'autres vous recevront dans
leur salon garni de plantes et du bric-à-brac domes-
tique.

Rappelez-vous cependant, que même si l'image
peut refléter le statut, elle ne garantit pas nécessairement l'habileté. Un thérapeute qualifié peut aussi
bien travailler chez lui que dans une clinique ayant
pignon sur rue.

Toutefois, un certain nombre de caractéristiques,
parmi les plus importantes, se retrouvent chez tous
les bons thérapeutes:

- Ils vous consacreront beaucoup plus de temps que
  votre médecin de famille ne le ferait. La première

consultation ne durera pas moins d'une heure,
parfois plus. Ils voudront tout savoir sur vous,
pour mieux vous connaître et comprendre ce qui
ne va pas ou ce qui pourrait être la cause fonda-
mentale de votre problème.

- Vous devrez payer pour tous les remèdes qu'ils
vous prescrivent et qu'ils vous vendront à même
leur inventaire. Ils vous feront aussi payer leurs
honoraires - bien que certains thérapeutes en
réduisent les coûts pour des cas spéciaux ou pour
les gens qui ne peuvent vraiment pas assumer les
frais complets.

Précautions élémentaires

- Méfiez-vous de quiconque vous promet la
guérison. Personne (pas même les médecins) ne
peu garantir cela.
- Posez-vous des questions si on essaie de vous
vendre une série de traitements. Votre réaction à
une thérapie naturelle est très personnelle. Bien
entendu, si le thérapeute est très occupé, il voudra
réserver à l'avance une ou deux séances. Vous
devriez pouvoir annuler sans pénalité toutes les
séances qui ne seraient pas nécessaires (mais
rappelez-vous d'aviser au moins 24 heures à
l'avance: certains praticiens vous feront payer le
coût des séances si vous ne les avez pas annulées
dans le temps requis. Aucun thérapeute honnête
n'exigera que vous payiez à l'avance le traitement, à moins que des tests spéciaux ou des
médicaments soient nécessaires - et même ceci
n'est pas habituel. Si l'on vous demande un
paiement à l'avance, quel qu'il soit, demandez à

quoi il servira. Si les raisons ne vous satisfont pas, ne payez pas.

• Méfiez-vous si on ne vous questionne pas à propos de la médication que vous prenez en ce moment et essayez de donner des réponses précises aux questions posées. Soyez sur vos gardes si le thérapeute vous dit d'arrêter ou de changer ces médicaments prescrits, sans en parler d'abord à votre médecin. (Un médecin responsable acceptera de discuter de votre médication avec vous et votre thérapeute.)

• Notez la qualité du toucher du thérapeute, si vous choisissez une des techniques de détente ou de manipulation telles que le massage, l'aroma-thérapie ou l'ostéopathie. Le toucher ne doit jamais s'attarder ou être suggestif. Si, pour quelque raison, le thérapeute veut toucher vos seins ou vos organes génitaux, il doit vous demander la permission au préalable.

• Si le praticien est du sexe opposé, vous avez le droit d'être accompagnée de quelqu'un dans la pièce. Soyez immédiatement sur vos gardes si on refuse. Les thérapeutes honnêtes ne refuseront pas cette demande et s'ils le font, mieux vaut ne plus avoir affaire à eux.

Que faire si les choses tournent mal

Un praticien est dans une position de confiance et il est investi d'un devoir d'attention à votre égard. Cela ne veut pas dire que vous avez droit à une guérison seulement parce que vous avez payé pour recevoir un traitement, mais si vous croyez avoir été traitée injustement, de façon incompétente ou malhonnête, vous avez plusieurs choix:

- Avec votre praticien, abordez la source du problème, soit verbalement ou par écrit.
- S'il travaille dans une clinique, une firme de santé ou un centre sportif, dites-le à la direction. Cette dernière a la responsabilité de protéger le public et devrait donner suite à la plainte avec sérieux et discrétion.
- Communiquez avec l'organisme professionnel du praticien. Il devrait y avoir un comité indépendant qui enquête en profondeur à la suite de plaintes et qui peut rappeler à l'ordre ses membres.
- Si la faute commise est de nature criminelle, rapportez-la à la police (mais soyez préparée à faire la démonstration de la preuve).
- Si vous croyez avoir droit à un dédommagement, voyez un avocat qui vous conseillera.

Mise à part l'apparition devant le tribunal, la mauvaise publicité est la pire chose qui peut arriver à un praticien incompétent ou malhonnête. Racontez à tous votre expérience. Les gens ont seulement besoin d'entendre les mêmes faits, émanant de sources différentes, pour que le praticien disparaisse sans laisser de trace. Avant d'en arriver là, cependant, essayez les autres démarches et donnez-vous le temps de réfléchir calmement à ce qui arrive. La vengeance n'est pas une bonne guérisseuse.

Un mot d'avertissement Ne faites pas de déclarations malicieuses sans une bonne raison. De pareilles pratiques représentent une faute criminelle dans certains pays et vous pourriez vous en tirer avec plus de mal que le praticien.

Résumé

De fait, il y a peu de véritables fraudeurs ou charlatans en thérapie naturelle. Malgré le mythe, il n'y a pas beaucoup d'argent à faire à moins que le thérapeute soit très en demande. Or, les chances sont bonnes qu'un thérapeute très occupé soit un bon thérapeute. Rappelez-vous que personne ne peut tout savoir et qu'aucun spécialiste n'a jamais obtenu 100 pour cent aux examens lui donnant droit de pratiquer. La perfection est un idéal, non une réalité, et il est humain de se tromper.

C'est pourquoi la prise en charge de votre santé est probablement la leçon la plus importante de ce livre. Prendre en charge signifie être responsable des choix que vous faites et c'est un des facteurs les plus importants dans un traitement réussi.

Personne d'autre que vous ne peut choisir un praticien et décider s'il est bon ou non pour vous. Vous sentirez cela très facilement et probablement très vite, par la façon dont vous réagissez vis-à-vis la personne et la thérapie, et selon que vous vous sentez mieux ou non.

Si vous n'êtes pas heureuse, il vous revient de rester ou d'aller voir ailleurs - et de continuer à chercher tant que vous n'aurez pas trouvé le bon thérapeute. Ne désespérez pas si vous rencontrez des difficultés à dénicher la bonne personne dès le début. Cette personne existe quelque part et votre détermination à guérir est votre meilleure ressource pour la trouver.

Par dessus tout, n'oubliez pas que tous ceux qui ont fait cette démarche avant vous ont reçu de l'aide au-delà de leurs espérances et ont aussi trouvé une personne fiable et intime, qui les aide dans les moments difficiles et qui peut même devenir un ami pour la vie.

Adresses utiles

La liste d'organisations qui suit n'est que pour fins informatives et n'implique aucun endossement de notre part, ni ne signifie que ces organisations assument les points de vue exprimés dans cet ouvrage.

CANADA

Association canadienne de médecine holistique
700, rue Bay
Toronto (Ontario)
Canada M5G 1Z6
Tél.: (416) 599-0447

Association canadienne de naturopathie
4174, rue Dundas ouest
Suite 304
Etobicoke (Ontario)
Canada M8X 1X3
Tél.: (416) 233-1043
Fax: (416) 233-2924

QUÉBEC

Corporation des praticiens en médecines douces du Québec
5110, rue Perron
Pierrefonds (Québec)
Canada H8Z 2J4
Tél.: (514) 634-0898
Fax: (514) 624-6843

FRANCE

Association Zen international
17, rue Keller
75011 Paris France
Tél.: (1) 48-05-47-43

Fédération nationale de médecine traditionnelle chinoise
73, boul. de la République
06000 Cannes France
Tél.: 04-93-68-19-33

INTERNATIONAL

Organisation mondiale de la santé
Division des maladies non-infectieuses
CH-1211 Genève 27
Suisse
Tél.: 4122-791-3472
Fax: 4122-791-0746

Index